D1279368

LES AFFLIGÉS

CHRIS WOMERSLEY

LES AFFLIGÉS

roman

Traduit de l'anglais (Australie)
par Valérie Malfoy

ALBIN MICHEL

« Les Grandes Traductions »

Ce livre est publié
sous la direction de Francis Geffard

Édition originale parue sous le titre :
BEREFT
Chez Scribe, Australie, en 2010

À Roslyn, pour sa confiance

« Tout ange est terrible. »

Rainer Maria Rilke,
Les Élégies de Duino

Prologue

Le jour où la petite Sarah Walker fut assassinée, en 1909, un ouragan déboula brutalement à travers les plaines de la Nouvelle-Galles du Sud avant de se déchaîner sur la minuscule ville de Flint. Un tel meurtre devait constituer le point focal de ces quelques journées d'agitation fébrile où presque chacun des deux cents habitants eut quelque chose à déplorer. Des arbres ployèrent et se brisèrent sous la furie des vents, des chevaux s'emballèrent. Cherchant désespérément à échapper aux eaux en crue, des serpents envahirent le domicile des Porteous, forçant Mme Porteous et ses deux fillettes à passer plusieurs heures perchées sur la table de la cuisine, robe retroussée au-dessus des genoux, en attendant que Reginald, le mari, rentre du travail pour les sauver. Jack Sully, le forgeron, se cassa le bras en s'efforçant d'arrimer son toit, même si la rumeur prétendit qu'il était ivre au moment des faits. Des cadavres de vaches, gonflées comme des outres, dérivèrent pendant des jours. Et la vieille Mabel Crink en perdit la vue, ce qui explique en partie le nom donné à ce maelström : l'Aveugleur.

Le père, Nathaniel Walker, déclara avoir ratissé tout le secteur à la recherche de Sarah et de son grand frère, Quinn, qui avaient disparu pendant la plus grande partie de l'après-midi. Il alla fureter dans leurs cachettes habituelles : derrière le poulailler ; sous la maison, dans l'eucalyptus rongé de l'intérieur par les termites, à l'est de la propriété. Rien. Finalement, il tomba sur eux dans la remise désaffectée près du lac de Wilson's Point, à trois kilomètres de la maison. Trop tard, bien entendu. Nathaniel en resta bouche bée. Le garçon s'adressa à lui, mais ses paroles furent noyées sous un roulement de tonnerre. C'est alors que le beau-frère de Nathaniel, Robert Dalton, surgit au côté de ce dernier en soufflant comme un bœuf. « Bonté divine, que s'est-il passé ? » dit-il, même si – avec le sang sur la cuisse de Sarah et ses lèvres bleuies, ses vêtements en désordre, le couteau dans le poing de Quinn – Freddy l'Aveugle avait compris. Le jeune homme lâcha le couteau, s'échappa par une brèche dans le mur et s'évanouit dans les ténèbres engendrées par l'ouragan. Le tout si vite que les deux autres furent trop hébétés pour le poursuivre. Il s'était volatilisé.

La mère était à la maison, en train de faire la lecture au fils aîné, William, qui était cette semaine-là cloué au lit par la fièvre. La pluie ruisselait lourdement par-dessus les avant-toits et l'air vibrait sous les coups de tonnerre. La maison était solide, bien bâtie, mais Mary avait peur pour eux tous, et pendant des années elle devait se souvenir s'être interrompue à mi-page pour relever la tête avec une pointe de terreur. Comme ce jour où elle avait perdu cet autre enfant, en 1890, le difforme qui avait glissé d'entre ses cuisses trois mois avant terme. *Entre, Huck, mais ne regarde pas sa figure – c'est trop affreux.* Elle referma le livre doucement pour ne pas réveiller son fils assoupi.

C'était une femme pieuse, un brin superstitieuse, et au cours de cette sombre journée elle n'avait pu chasser un lugubre pressentiment, si bien que, lorsque son mari rentra dans la soirée, en pleurs et tout trempé, c'est avec un certain stoïcisme qu'elle apprit l'atroce nouvelle. Sur les détails précis, elle refusa de rien entendre – c'était assez de savoir qu'une chose pareille s'était produite, disait-elle.

Bien entendu, la petite ville fut frappée d'horreur et les circonstances de cette abomination – telles qu'elles étaient connues ou déduites – furent amplement commentées partout où les gens se rassemblaient : au bar du Mail Hotel ; dans le boucan des cuisines ; sur les vérandas ; derrière chez Sully où les hommes se retrouvaient pour fumer ; au coin des rues balayées par les bourrasques. Un journaliste du *Sydney Sun*, répondant au nom improbable de Philby Rochester, débarqua pour se rendre aussitôt au Mail Hotel où il recueillit des informations croustillantes destinées au lectorat citadin. Flint n'avait pas connu une telle effervescence depuis des lustres, en tout cas pas depuis la fin de la Ruée vers l'Or, et il planait sur les lieux publics une atmosphère de gaieté malsaine et honteuse.

La famille Walker étant en deuil, et Robert Dalton se fit le chroniqueur officieux de cette tragédie. Il raconta au journaliste, et à qui voulait bien l'entendre à l'hôtel, qu'il avait toujours senti qu'un truc sinistre couvait entre le frère et la sœur, et qu'on aurait pu empêcher cet horrible crime si seulement lui-même, ou le père, étaient arrivés sur place un peu plus tôt. « Un *poil* plus tôt », disait-il, pinçant le pouce et l'index de façon à souligner le tragique de cet infime délai. « Si jamais ce gosse se pointe par ici, je le pends à un arbre ! »

Selon lui, Quinn lui avait toujours paru un peu bizarre, impression que le père, Nathaniel, avouait avoir partagée, à son grand regret maintenant qu'il était trop tard pour réagir. Il s'était efforcé de les séparer, mais ils étaient toujours collés l'un à l'autre – « pire que de la bardane à une chaussette ! »

La célébrité de la petite ville ne fut qu'éphémère. Le surlendemain du crime, le journaliste fut retrouvé ivre mort non loin de la rivière et flanqué sans cérémonie dans une berline qui ralliait Bathurst, à une cinquantaine de kilomètres. Malgré leurs efforts, ni la police ni Jim Gracie, le pisteur local, ne parvinrent à repérer Quinn Walker, les fortes pluies ayant effacé toute trace. Sarah fut inhumée quelques jours plus tard dans une terre encore gorgée d'eau.

On eut beau prévenir les forces de police des États de Victoria et du Queensland, promettre une récompense de 200 £ par voie d'affiches, Quinn ne fut jamais retrouvé. On supposa que ce fugitif de seize ans avait connu une fin conforme à l'idée que l'humanité se faisait de la justice immanente. Des hypothèses populaires à une certaine époque prétendirent qu'il avait été dévoré par les dingos rôdant dans les montagnes du voisinage ; qu'il était tombé dans un puits de mine, qu'il avait été transpercé par le javelot d'un Aborigène.

Les habitants continuèrent à gloser sur ce crime atroce, surtout au cours des après-midi de tempête qui poussaient les hommes à dire à leurs épouses des choses comme : « Quel temps ! Ça me rappelle le jour où la petite Walker a été assassinée… » Sur ce, l'épouse cessait d'étaler sa pâte au rouleau ou de plumer la volaille pour prendre un air songeur et dire en hochant la tête : « Pauvre, pauvre femme… Avoir un fils pareil ! »

Quelques années plus tard, en 1916, Mary Walker reçut un télégramme d'un officier servant dans le premier corps expéditionnaire australien envoyé en France. Il était au regret de lui annoncer que son fils avait disparu au combat, qu'il était présumé mort mais qu'il avait fait preuve d'une bravoure exemplaire, bla-bla-bla. Apparemment, Quinn avait donc bien réussi à s'enfuir, mais seulement pour aller mourir loin de chez lui. Apprenant cela, Nathaniel marmonna un « Bon débarras ! » et retourna à ses occupations. Mary, elle, se remit à pleurer.

Au fil des ans, la population de Flint céda à la propension ô combien humaine à broder. Elle fabriqua une légende tout comme on confectionne une couverture ou un patchwork – une rumeur par-ci, une supposition par-là – si bien que le viol et l'assassinat de Sarah Walker finirent par prendre les dimensions d'un événement historique, avec un début, un milieu et une fin.

PREMIÈRE PARTIE

L'ATTRAIT DE L'OCÉAN

1

L'*Argyllshire* taillait sa route à travers l'océan. Appuyé au bastingage, le sergent Quinn Walker écoutait l'inlassable murmure des vagues tout en contemplant les effets de lumière à la surface des eaux. Sa cigarette n'était plus qu'un mégot détrempé entre ses doigts aux extrémités aussi jaunes que des touches de piano en ivoire. Ses cheveux étaient à présent mouchetés de gris, mais ses yeux aussi, comme si la cendre des années se déposait à travers ses entrailles, allant peut-être jusqu'à encrasser son foie et son cœur. À vingt-six ans, il faisait plus vieux que son âge. Ce n'était plus le gamin d'autrefois : il était devenu secret, attentif à la tournure des événements, un homme perpétuellement sur le départ.

Une bande de dauphins se faufilait dans l'eau, tournoyant et se tenant suspendus en l'air une fraction de seconde avant de s'évanouir de nouveau sous les flots. Des oiseaux se doraient dans les arcs-en-ciel apparus dans l'écume. Impossible d'observer l'océan sans imaginer ce qui pouvait évoluer dans ces profondeurs ténébreuses :

baleines et requins ; poissons glapisseurs ; iguanes rôdant sur les lits de coraux ; le majestueux Léviathan. Toutes créatures connues ou inconnues.

D'une poche de son uniforme, il tira sa Croix Militaire, médaille distinguant des faits d'armes accomplis au cours d'une nuit dont il ne gardait aucun souvenir – et pourtant, il n'y avait guère plus de deux ans de cela. Hormis, peut-être, les rafales de mitraillettes, les gémissements, ce goût de terre dans la bouche – mais ces sensations-là, c'était le quotidien du soldat. Parmi tout ce dont il pouvait avoir légitimement honte dans sa vie, c'était peut-être cette médaille, le pire. *Bravoure remarquable*, disait la citation, *et sens du devoir. A manifesté un grand courage en secourant des hommes ensevelis dans des galeries et accompli un travail utile et constant en toutes circonstances.* Les quatre pointes s'enfonçaient dans sa paume. Quelle farce ! Le danger qu'il courait personnellement, il s'en foutait complètement : rien à voir avec du courage.

S'étant assuré que nul ne l'observait, il jeta la médaille par-dessus les vagues d'un ample mouvement du bras. La perdre de vue aussitôt fut une déception ; il avait compté sur la cruelle satisfaction de la voir décrire un arc-de-cercle scintillant, miroiter au soleil, et disparaître avec un « plouf » minuscule dans le vaste océan. Enfin, aucune importance. Bon débarras.

Tout autour de lui, des hommes tiraient sur leurs cigarettes anglaises, formant des volutes de fumée bientôt emportées par le vent. Contre le bastingage, une brochette de soldats contemplait l'horizon. Ceux qui avaient la phobie des grands espaces restaient sous le pont, avec les malades et les éclopés, blottis dans leurs hamacs, sécurisés par cette compagnie fraternelle et enfumée.

Quinn demeurait à l'écart, toujours intimidé en présence des autres. Au début de la guerre, on l'avait surnommé Timide – Walker le Timide – mais le conflit s'éternisant, et de plus en plus d'hommes devenant distants et circonspects, une telle inhibition n'avait plus été jugée digne de commentaires – elle passait même presque inaperçue.

Parfois, des types grimpaient sur le bastingage et se flanquaient dans le vide en gesticulant. À peine avait-on le temps de voir surnager leur tête qu'ils coulaient à tout jamais, attirés par la Fée Morgane en son palais sous-marin. Quinn les imaginait s'abîmant dans ce trouble et paisible royaume, des algues autour du cou, parés d'une guirlande de bulles, délivrés de la Terre et de ses triviales misères.

Les autres opinaient et se rappelaient qu'on les avait prévenus, avant l'appareillage : le navire ne ferait pas demi-tour pour repêcher ceux qui seraient passés par-dessus bord. Ce n'était même pas la peine d'en parler. *Survivre à cette boucherie pour finir comme ça ? Alors qu'il y en a tant qui sont morts là-bas ? Faut être fou...*

Mais Quinn comprenait cela : cet attrait de l'océan. S'engloutir. Absolument. Oui.

Au poste de quarantaine de North Head il fut arrosé au jet en même temps que les autres. Après tout ce qu'il avait subi, il était encore choqué de voir des corps nus. Dépouillés de leur uniforme, ce n'était plus que des créatures fragiles, pataudes. La peau si fine, si pâle. Dissimulée. Manchots, pour beaucoup ; unijambistes ; jeunes ou vieux constellés de marques de brûlures, de cicatrices rondes comme des pièces de monnaie. Pas étonnant s'il en était mort des millions : les hommes ne sont rien, une fois jetés dans l'engrenage de l'Histoire.

Leurs bagages furent traités par fumigation, après quoi on les força à inhaler une solution de sulfate de zinc censée purifier les poumons et protéger de la grippe espagnole.

Les baraquements étaient minables, causant une certaine grogne. Avaient-ils mérité ça ? Ce n'était pas une façon de traiter des héros. Après tout ce qu'ils avaient fait pour la patrie, pour l'Empire ! Certains parlaient à voix basse de s'évader, d'aller dans le bush. L'humeur vira à la mutinerie et bientôt ce fut un millier d'hommes qui franchirent les grilles pour aller embarquer sur le paquebot en partance pour Fort Macquarie. Quinn avait imaginé des haies de banderoles ; des mères, des sœurs et des épouses ; la molle presse des femmes venues accueillir leurs hommes – ou ce qu'il en restait.

Mais il n'y eut point de fanfare. Les soldats n'étaient que des misérables, mal chaussés, brisés, tuberculeux, mutilés et aveugles. Beaucoup avaient des béquilles ou des bandages aux jambes. Tous portaient les masques en tulle distribués pour limiter la propagation de l'épidémie. Depuis le quai ils défilèrent de leur mieux à travers Sydney jusqu'au terrain de cricket où on leur avait promis un hébergement plus décent. Les gens se massèrent au niveau de George et Oxford Street pour leur jeter un coup d'œil. Des tramways se retrouvèrent bloqués par la cohue. Des gamins se précipitaient pour leur toucher les jambes ou leur serrer la main. Des jeunes femmes avaient des sourires inquiets et jacassaient entre elles. Quinn passa devant elles avec son paquetage d'un air dédaigneux, sensible à la déception lisible sur le visage des moins jeunes qui avaient espéré voir en lui un époux, un frère ou un fils – ou du moins une connaissance. Heureusement que son masque cachait sa mâchoire fracassée ; il n'avait aucune envie d'être reconnu, même si c'était peu probable.

Il s'attacha à mettre un pied devant l'autre, jusqu'à atteindre la limite de ses forces. Des souvenirs des lectures que sa mère lui faisait lui revenaient, et il jugea que les Grecs de l'Antiquité auraient dû savoir gré aux dieux de les empêcher de rentrer au pays après la guerre de Troie. Le retour du guerrier était assurément plus pénible que le départ.

Dans cette effervescence, ce fut facile de s'éclipser pour disparaître par les rues calmes et moites de la ville. Son cœur tressaillit dans sa poitrine. Son estomac se contracta. Dans un passage froid et humide, il toussa et se plia en deux, prenant appui sur ses genoux. La sueur perlait à son front. Une sensation redoutable, déchirant ses entrailles. Il avait été gazé pendant la guerre et les méchants brouillards résiduels continuaient à stagner au-dessus des parties creuses de son corps, s'y déposant ici ou là quand il dormait ou se tenait immobile. S'il n'avait pas été aussi touché que beaucoup d'autres, ces gaz avaient sans nul doute abîmé son corps, en particulier sa gorge, qui lui faisait parfois penser à… disons à un violon avec une corde cassée qui flotte dans le vide, inutile et horripilante, se prenant dans les autres cordes qui sont, elles, bien tendues et accordées.

Un chat d'un roux tirant sur l'orangé l'observa froidement avant de se mettre sur son arrière-train pour se lécher la patte. Des oranges… Pendant toute la durée de la guerre, en France, il en avait rêvé. Parfois, il se réveillait la nuit avec les lèvres parcheminées, ayant rêvé qu'il en fourrait un quartier dans sa bouche, comme quand il était petit. Un jour, il ne put passer devant la carriole d'un marchand de quatre saisons sans essayer d'en repérer une, tant il était obsédé. Ce fruit avait pris des proportions magiques, mythiques, comme si cela aurait pu le guérir non seulement de sa soif, mais de tout ce qui l'affligeait : le mal du pays, ses remords, son chagrin.

Quelques mois plus tôt, en France, il en avait aperçu une dans le panier d'une fillette qui passait devant le camion où il se trouvait. Elle n'avait qu'une dizaine d'années, mais son attitude était celle d'une adulte, chose fréquente en ces temps de guerre. Son panier était calé sur sa hanche et elle s'arrêta pour parler avec une vieille toute ratatinée, drapée dans son châle, avant de soulever son fardeau pour entrer dans un bureau de tabac. Dans la cabine glaciale et enfumée du camion, Quinn la contemplait et s'apprêtait à la suivre – son corps se tendait dans ce but – quand le grand gaillard de sergent était revenu avec les ordres et avait relancé le moteur. *Bon, et si on allait buter quelques Boches…* ?

Un médecin maigre, soucieux, en poste à la gare centrale, l'examina et lui délivra un certificat attestant qu'il n'avait pas la grippe espagnole. Une infirmière de la Croix Rouge lui remit un sac en papier rempli de sandwiches au fromage et l'avertit que les frontières de l'État étaient fermées pour cause d'épidémie. Abruti par la chaleur, il monta dans un train qui traversa d'abord les Blue Mountains, avant de redescendre pour rouler sur le pelage brun des plaines de l'ouest.

Ce train était bondé, des soldats démobilisés – quelques-uns taciturnes et l'air absent, mais la plupart fumant et faisant la fête. Il y avait une femme élégante, le bras passé autour des épaules de son jeune fils, un fermier avec un bec-de-lièvre qui empestait la bière, un garçon aux yeux laiteux, et deux fillettes avec des rubans rouges au poignet gauche – talismans censés préserver de la contagion, selon l'une des dernières superstitions en vogue. Il faisait chaud, l'atmosphère était enfumée. Debout dans l'étroit couloir, Quinn regardait par la fenêtre. Il avait retiré son masque pour mieux jouir de la brise sur son visage. La campagne était terne, comme épuisée. Au fond, un petit groupe d'hommes cancanaient sur un fait divers :

la semaine précédente, un médecin réputé de Bathurst avait abattu son épouse volage avant de prendre la fuite. Un nourrisson à l'air maladif gémissait.

Telle une drôle d'araignée embarrassée par sa profusion d'appendices, quatre soldats ivres avançaient bras dessus bras dessous, titubant dans l'allée du wagon. Chacun chantait un air différent avec un entrain précaire, et l'un d'eux voulut absolument reprendre depuis le début pour qu'ils puissent accorder leurs voix, mais on ne l'écouta pas. Un autre trébucha et se coupa contre le cadre métallique d'une fenêtre. Il montra sa main ensanglantée. « Je suis blessé ! » se lamenta-t-il avec un désespoir comique, tandis que ses copains riaient et lui donnaient des bourrades dans le dos, hilares. « Renvoyez-moi à la maison, chef ! Oh, renvoyez-moi chez moi ! »

On prétendait que ceux qui avaient vu la mort de près – au cours d'un accident, d'une guerre ou autre – en sortaient parfois pleins d'une exubérance, d'une vitalité factices. Or, si quelqu'un avait fréquenté la mort, c'était bien ces soldats qui avaient combattu en Europe. Quinn se rappelait l'ambiance à Londres, parmi ceux qui n'étaient pas encore démobilisés – ça frisait la folie furieuse. Incrédulité et remords formaient un cocktail détonnant. Des hommes se risquaient à se promener sur le toit des wagons, ou à plonger dans la Tamise par un matin glacial, avec des cris de joie et des rires de déments, une bouteille dans une main et un feutre mou dans l'autre. Quinn ne partageait pas cette allégresse. Sa crainte était que, pour lui, le pire fût à venir.

Il se surprit à jeter des coups d'œil au fermier avec le bec-de-lièvre pendant le plus clair de son temps – comment ce type avait-il pu vaquer à ses occupations tandis que lui-même était à des milliers de kilomètres de là, plongé jusqu'au cou dans la boue, le sang et les décombres ? Le fermier lui sourit d'un air contrit, comme s'il imaginait qu'ils avaient quelque chose en commun – outre leurs gueules de travers.

Un homme jeune, en costume chic et coiffé d'un canotier, aborda Quinn pour lui offrir une cigarette – une Havelock, acceptée avec joie – et engagea la conversation à bâtons rompus. Il sentait le menthol et le clou de girofle, et avait à la main un mouchoir blanc avec lequel il tamponnait régulièrement sa lèvre supérieure luisante. Il se présenta : Mark Westbury. Un type cordial, malgré son sérieux, et attentif au peu que Quinn lui raconta de sa guerre. Même dans ses meilleurs jours, ce dernier n'était pas un grand bavard, et il avait du mal à entendre quelque chose avec le fracas du train et le brouhaha général.

– Et où avez-vous servi, sergent… Walker, c'est bien ça ?

Quinn tiqua.

– Qui vous a dit mon nom… ?

L'autre indiqua le badge sur sa tunique. Évidemment.

Le train prit un virage. Dans le compartiment adjacent,

un paquet enveloppé de papier kraft tomba du porte-bagages.

– En France, principalement, déclara Quinn, après s'être redressé. En Turquie, aussi…

M. Westbury le dévisagea. Maintenant que les présentations étaient faites, il se sentait assez à l'aise pour examiner sa cicatrice.

– Vous avez de la chance, dit-il.

Quinn avait déjà entendu ça une dizaine de fois. À l'hôpital de campagne en France, puis celui de Harefield où une infirmière à cornette refaisait le lit voisin, après avoir évacué un pauvre bougre mort dans la nuit. *Ce n'est peut-être pas votre impression maintenant, mais vous faites partie des veinards.* Également sur le bateau du retour. On lui disait cela à longueur de temps et on était déçu s'il n'assortissait pas son assentiment d'un enthousiasme suffisant.

– Vous avez eu de la chance de vous en tirer, je veux dire…, ajouta M. Westbury. Malgré la… cette cicatrice…

– Oui, répondit-il. J'ai eu de la chance.

L'autre déclara quelque chose qu'il fut incapable de comprendre avec tout ce bruit.

– Quoi ?

– J'ai dit : vous avez été épargné.

– Oui.

Après un silence embarrassé, le jeune homme demanda où il allait.

– À Flint, répliqua Quinn.

M. Westbury opina, même si d'évidence il n'avait jamais

entendu parler de ce bled. Peu de gens connaissaient. Il n'y avait guère de raison de s'y rendre, à présent que les gisements d'or avaient été épuisés. Il n'y vivait pas grand-monde. Même les cartographes ne s'en souciaient plus.

– C'est chez vous, je suppose… ?

Quinn observa ce type maniéré, réformé – selon ses propres dires – pour cause de myopie. Il haussa les épaules et tira une bouffée, ce qui déclencha une légère quinte de toux.

– Si on veut, répondit-il, une fois la quinte passée. J'y suis né. J'ai quelque chose à réparer…

L'air impatient, M. Westbury s'épongea le front avec son mouchoir.

– Beaucoup d'endroits sont allés à vau-l'eau, vous savez. Beaucoup d'endroits.

Il semblait s'être désintéressé de la conversation.

Quinn jeta sa cigarette et l'écrasa sous son talon. Une femme et sa petite fille firent signe qu'elles souhaitaient passer, les forçant, lui et son compagnon, à s'effacer autant que le permettait l'espace exigu.

Ils restèrent silencieux un moment, puis l'homme, qui s'était remis à examiner la vilaine cicatrice à sa mâchoire, lui fit signe de se pencher et murmura, d'une voix circonspecte :

– Vous devriez faire quelque chose pour votre visage. Mettre un masque, peut-être… ? Vous n'avez pas de masque contre la grippe ? Vous faites peur aux enfants, le savez-vous ?

À quoi Quinn, d'habitude réservé mais saisi d'un accès de malignité, rétorqua, également à mi-voix :

– Les enfants ont raison d'avoir peur...

À Bathurst, il quitta furtivement la gare et se mit à marcher vers le nord-ouest, tantôt suivant la route, tantôt crapahutant à travers des plaines ou des affleurements de roches déchiquetés. La terre était sèche, dure, et le ciel – bleu et sans nuages – se déployait au-dessus de sa tête, plus haut et plus vaste que partout ailleurs, un continent en soi. Des faucons tournoyaient telles des étoiles sombres et vigilantes, larguées de leurs orbites.

Il ôta le badge de sa tunique, et évita les coins où on aurait pu le reconnaître. Les rares fermiers qu'il croisait le saluaient d'un coup de menton, ou en agitant leur chapeau, heureux d'accueillir un combattant de la Grande Guerre de retour au pays. Un couple passa lentement devant lui, ses biens et les cinq enfants entassés sur une carriole tirée par un cheval. Ils avaient tous un masque de tulle et détournèrent la tête sans rien dire, visiblement terrifiés à l'idée d'être contaminés. En règle générale, on ne faisait pas attention à lui. Voir des individus cheminer en solitaires n'était pas rare après la guerre ; des contingents d'hommes devaient être en train de retourner chez eux, chacun dans son uniforme en loques – points minuscules à l'échelle de l'univers. Il fit la sieste sous un cyprès au milieu de la journée, puis reprit sa route jusqu'à la tombée de la nuit.

La faune pullulait. Lézards et serpents, perruches et

pies. Au crépuscule, des kangourous gris bondissaient dans les herbes hautes ou se tenaient sur leur arrière-train pour le regarder passer. Des lapins détalaient à la périphérie de son champ de vision, et des couples de papillons orange dansaient autour de lui partout où il allait. Et le bourdonnement, toujours ce bourdonnement, audible malgré son ouïe défaillante, des mouches et des abeilles.

Habitué à parcourir de longues distances à pied, il progressait vite. C'était agréable de se sentir si libre, en dépit du bardas qu'il trimballait toujours – son paquetage, le masque à gaz dans sa musette, et son revolver coincé sous la tunique déboutonnée. Sans prendre la peine de s'orienter, il continuait à avancer comme si ce mouvement en avant pouvait le délivrer de la pestilence de la guerre et de tout ce qui était arrivé pendant ces années passées au loin. Des mirages tremblaient à l'horizon. Il vit des navires gigantesques, des éléphants à la queue leu leu, une cité entière avec bâtiments et clochers, quelque vaste métropole qui reculait, reculait, toujours un peu plus à mesure qu'il avançait.

À la fin de chaque journée, le soleil sombrait et l'horizon s'embrasait pendant dix minutes. Il campait à l'écart de la route et contemplait les flammes de son feu, humaine alternative au soleil. Il prenait soin d'économiser ses sandwiches. Il priait d'une étrange façon, qui était plus une sorte de questionnement. Au moins, à présent, après toutes ces années, il croyait savoir pourquoi il avait été épargné. C'était en quelque sorte une consolation.

Il s'endormit en pensant à sa sœur, Sarah. Même les yeux fermés, il savait pourquoi il était sur terre, et pouvait imaginer sa position exacte, puisque sa boussole intime le guidait dans la bonne direction.

2

Au bout de quelques jours, le paysage devint plus familier. Il en identifiait certains traits caractéristiques : un amas de rochers qui évoquait une famille de porcs, le groin dans les broussailles ; l'arbre où Bill Clayton s'était pendu en 1905, son épouse s'étant enfuie avec le tambour de l'Armée du Salut, les terrils des mines d'or abandonnées. Il tomba sur des ravines creusées par l'exploitation des gisements aurifères, des cheminées désaffectées, les vestiges rouillés d'engins à moitié enfouis dans la terre rouge.

Cinquante ans auparavant, ces collines avaient été pleines d'or et la petite ville de Flint grouillait d'hommes affamés, flanqués de leur marmaille tout aussi affamée, mais cette vogue était passée, laissant un décor déchiré et torturé, jonché de restes de concasseurs et d'échafaudages en bois édifiés au-dessus des puits. Il ne restait plus que la grande Mine de l'Épervier, mais les montagnes et ravines aux alentours étaient incrustées des restes de petits hameaux où des familles – galloises, irlandaises, chinoises – s'étaient regroupées selon leur pays d'origine. Le sol était dur, caillouteux. Des chardons fleurissaient un peu partout. Même les arbres indigènes ne semblaient pas avoir poussé sur place, mais avoir été enfoncés contre leur volonté dans ce sol dont ils s'efforçaient de se dégager.

Enfant, Quinn avait vagabondé à travers ces collines, tirant sur des oiseaux et des lapins, souvent avec Sarah sur ses talons qui le grondait, disant qu'il risquait de tuer quelqu'un avec une balle perdue. Ils avaient trouvé des pépites, qu'ils avaient amassées et comptaient vendre un peu plus tard pour s'offrir des voyages à l'étranger, des animaux exotiques ou des bijoux. *Trésor*, c'était le terme qu'elle avait employé le jour où ils les avaient déposées solennellement, une à une, dans une boîte à cigares, parmi des boutons qu'elle jugeait précieux, une broche, des plumes rares et un timbre trouvé un jour dans Orchard Street. Sarah portait souvent l'un de ces porte-bonheur et les sortait pour les examiner au cours de la journée. Pour ce que ça avait servi… Le jour où elle était morte, un bouton rouge porte-bonheur se trouvait justement cousu à sa robe.

À présent, quand il se reposait dans une ravine ou sous un arbre, Quinn était comme en suspens dans l'ambre figé de ses souvenirs, parfois pendant plusieurs minutes d'affilée. Un concentré écœurant de nostalgie et de regrets. Étonnant comme peu de choses avaient changé en dix ans. Le monde semblait identique, à ceci près qu'il avait dévié de son axe pour toujours depuis l'assassinat de Sarah. Il se redressa contre un arbre et prit peur. Tel un autre genre de Paradis, l'air ici vibrait et miroitait comme s'il luttait pour contenir la variété des formes de vie qu'il était obligé de subir. C'était facile d'imaginer le Commencement des Temps ici – mais aussi, peut-être, la Fin.

Il s'installa sur une souche, à l'ombre, et déboutonna sa tunique. La terre était dure et brûlante, mais c'était un agréable changement par rapport à la gadoue des tranchées en France, où on devait parfois lutter pour faire un simple pas. Il arracha des épines accrochées à ses chaussettes et au bas de son pantalon. Puis il se frappa la tempe pour tenter de déloger le bouchon qui rendait le monde lointain, plus indéchiffrable que jamais. Il but au goulot de sa gourde et releva les yeux, surpris : quelqu'un se tenait à dix pas, carabine au poing. Il pensa à son revolver, mais comprit qu'il serait impossible de dégainer assez vite.

L'homme sourit, le salua de la main, et s'approcha en piétinant la couche de feuilles mortes. À sa taille pendait une macabre guirlande – des lapins morts, ensanglantés.

– 'jour..., dit-il.

Quinn était trop ahuri pour parler. L'eau dégoulinait de son menton. Il songea à s'enfuir, mais en se relevant, il réalisa que ce type était Edward Fitch, l'inoffensif idiot, tristement célèbre dans la région pour ses questions sans fin et pour se rappeler avec précision tout ce qui s'était passé à Flint – y compris le temps qu'il faisait alors. Quinn maugréa tout bas.

Edward approcha encore. Il était râblé, avide, un

sanglier famélique fait homme. Il toisa Quinn, se lécha les lèvres et marmonna quelque chose. Quinn mit la main en cornet à son oreille pour indiquer qu'il n'avait pas entendu. Sa surdité partielle l'obligeait à adapter sa capacité auditive à chaque interlocuteur – selon l'attitude et le volume sonore de celui-ci.

– J'ai dit : Vous avez fait la guerre ?

– Oui.

– Vous avez dégusté, on dirait..., déclara Edward, en montrant sa propre mâchoire.

Il rougit, conscient que sa cicatrice était difficile à oublier. On aurait dit des grumeaux de porridge.

– Oui...

Edward secoua la tête.

– Enfin, j'ai vu pire. Certaines sont sacrément horribles. Jack Williams a été bien servi... Bel uniforme. Comment ça va, là-bas ? Vous avez buté des Boches ?

– La guerre est terminée.

Edward baissa le menton sur sa poitrine pour méditer cette information. Quinn s'avisa que ce balourd ne l'avait pas reconnu. Il enfonça son chapeau sur sa tête et se pencha pour ramasser ses affaires. Peut-être pourrait-il encore s'en tirer.

– Où allez-vous ?

Quinn se redressa.

– Je... je cherche du travail...

– Vous fuyez la peste ?

– La peste ?

– La Peste Noire.

Quinn connaissait cette rumeur. Il fit non de la tête.

– Ce n'est pas la peste bubonique. C'est la grippe. La « grippe espagnole ».

Edward passa la main sur sa bouche, puis tendit deux doigts.

– Ginny Reynolds est morte en deux jours. Et pourtant, elle avait une santé de fer. Ils disent « la grippe », mais on sait bien que c'est autre chose. C'est pire. M. McMahon aussi. Il avait du sang qui lui sortait des yeux. La grippe, ça fait pas ça, mon vieux…

Edward rajusta sa ceinture et la grappe de mouches s'éleva dans les airs avant de se redéposer sur les lapins. Avec son crucifix au cou, son chapeau taché par la sueur, ce gilet crasseux et le couteau coincé dans sa ceinture, on aurait dit un anachorète médiéval.

Quinn souleva son paquetage.

– Il faut avoir la foi, dit-il sur un ton peu convaincant. Dieu prendra soin de nous.

– Dieu ? se moqua Fitch. Celui-là, je m'en méfie…

Quinn se renfrogna. Il se rappela ce que les gens du coin avaient dit d'Edward Fitch quand il était petit : que sa mère était une mécréante, qu'elle avait provoqué les malformations de son fils en tentant de se débarrasser du fœtus pendant sa grossesse.

– On ne dit pas une chose pareille, le réprimanda-t-il.

– Chez Sully, ils disent que Dieu n'existe pas. Qu'Il est mort, tenez-vous bien, avec la guerre et tout le reste…

– Ils en savent quoi… ?

Edward eut un petit sourire satisfait. De toute évidence, il avait obtenu la réaction souhaitée depuis le début.

– Et cette croix ? dit Quinn.

– C'est rien. Je l'ai trouvée.

– Dans ce cas, pourquoi la porter ?

Edward lui lança un regard de morne reproche.

– Ça me plaît…

– Bon…, dit Quinn, en secouant la tête, avec l'espoir d'avoir clairement manifesté sa réprobation. Je dois m'en aller. Au revoir, et bonne chance…

– Vous voulez pas m'acheter un lapin ?

– Je n'ai pas d'argent.

Edward détacha l'une de ses victimes sanguinolentes et la brandit. Outre le lapin fraîchement tué, il puait le lait tourné.

– Pas de problème. Prenez. Cadeau…

Quinn hésita. Sa réserve de sandwiches était presque épuisée ; un peu de viande, ce serait formidable. Rien que l'idée le faisait saliver.

– Merci.

Il prit la dépouille flasque.

– De rien, l'ami.

Edward se lécha une fois de plus les lèvres, et l'examina.

– Je t'avais pas remis, au début… T'as beaucoup changé. Pas seulement à cause de ce truc à la bouche…

La langue de Quinn devint toute cotonneuse. Jamais il n'aurait dû engager la conversation. Il aurait fallu s'en aller aussitôt. Maintenant, c'était trop tard. De nouveau, il songea à son revolver.

– J'pensais pas que tu oserais ramener ta fraise par ici, Quinn Walker…, ajouta l'autre sans malice apparente, opinant avec componction tout en feuilletant les informations engrangées dans sa tête. Après ce qui s'est passé… Le 5 juillet 1909. Il pleuvait à torrent. Un samedi – non, attends – un dimanche ! C'était un dimanche…

Quinn se rappelait la pluie battante en ce jour terrible, l'éclair, la chaussure rouge dans la terre. Il tressaillit sous le choc de ces flashes, passa la main sur son visage moite, incrédule. Dire qu'il avait fait tout ce chemin à pied pour éviter d'être reconnu, et voilà qu'il tombait sur cet idiot, sur une piste d'habitude peu fréquentée !

Edward renoua son ballot de cadavres.

– En tout cas, j'ai pas peur de toi.

Quinn fourra le lapin dans son paquetage et s'essuya les mains à sa tunique. Il fit mine de partir.

– Vous faites erreur, monsieur. Je ne vous connais pas. Je ne fais que passer…

– On parlait de toi, l'autre jour. Mercredi, je crois… Il faisait une chaleur à crever. Derrière chez Sully, ils disaient que ta pauvre mère avait pas eu la vie facile, avec une chose, et puis une autre…

– Qui disait ça ?

– Des gens. Tu as été porté disparu il y a des années. D'après ta maman. À la guerre. Tué au combat…

Quinn avait en tête d'innombrables exemples où l'armée déclarait morts, ou disparus au combat, des hommes qui avaient en fait bon pied, bon œil. Des erreurs de cet ordre étaient fréquentes dans la confusion générale : des soldats tenus pour morts ressuscitaient dans la troupe après avoir été rafistolés dans un hôpital anglais. Un type s'était même pointé, disait-on, à sa propre veillée funèbre à Brisbane, en demandant : *C'est qui, le mort ?*

– Mais ils jurent qu'ils te pendront de bon cœur, si jamais tu reviens, ajouta Fitch. Même ton père, c'est ce qu'il dit… Et ton oncle. On te zigouillera pour de bon…

En guise d'éclaircissement, il tira sur la peau de son cou, roula des yeux et laissa pendre la langue.

– Mon oncle vit toujours à Flint ?

– Ouais. Bien sûr…

– Et ma mère… ça va ?

Edward fit la grimace.

– Elle a la peste, tu sais. C'est courant par ici. Beaucoup en crèvent. Ginny Reynolds, Solomon Quail…

Quinn s'essuya le front avec son avant-bras. Depuis quelques minutes, il croyait entendre cogner son cœur à grands coups et grésiller les gouttes de sueur qui perlaient par tous les pores de sa peau. Il se sentait faiblir.

– Et le reste de ma famille ? Mon père… ?

– Ton père, ça va, je crois… Toujours à l'Épervier. Ton frère est allé s'installer dans le Queensland il y a longtemps. J'sais pas pourquoi.

Quinn mit sa main sur l'épaule de Fitch.

– Écoute, tu n'es pas obligé de raconter que tu m'as vu…

Edward parut déconfit.

– Oh ! Qu'est-ce que je vais dire, alors ?

– Rien. Rien du tout. Ce n'est pas nécessaire…

Edward rajusta sa ceinture de lapins morts et chassa une poignée de mouches agglutinées sur sa figure. En voyant sa pomme d'Adam remuer, Quinn sentit ses paroles absorbées lentement par cette intelligence épaisse, tel le « plouf » différé d'une pierre tombant au fond d'un puits.

Profitant de ce trouble passager, il lui rafla sa carabine et vérifia qu'elle n'était pas chargée avant de la lui rendre.

– Ta mère est encore en vie, Edward ?

– Ma vieille maman ? Pour sûr…

– Elle vit toujours toute seule au bout de la grand-rue ? La petite maison verte… ?

– Oui.

– Bon. Si jamais tu dis m'avoir vu, j'irai la tuer. Tu as compris ?

– Pourquoi est-ce que…

– Tu as compris ?

La lèvre d'Edward trembla.

– Oui.

Quinn s'attardait dans l'ombre de cathédrale que prodiguaient les pins de la colline, là où l'air était doux et parfumé. La guerre lui avait appris à se méfier des espaces découverts, et c'était seulement parmi ce genre d'arbres qu'il se sentait à l'abri. Il avait honte d'avoir menacé Fitch, mais personne ne devait savoir qu'il était de retour. L'idiot avait sans doute raison de prétendre qu'on le pendrait si jamais on le trouvait.

La ville de Flint était située à deux kilomètres en contrebas, dans une petite vallée. Elle comprenait à peine plus d'une demi-douzaine de rues véritables, le reste n'étant que des chemins de terre ou des allées creusées entre les propriétés par la circulation furtive des enfants et des animaux. Le quartier commerçant, on ne peut plus modeste, sommeillait sur une petite éminence dominant la rivière où poussaient de nombreux saules. Les citoyens les plus prospères vivaient sur les hauteurs, au niveau d'Orchard et Alexander Street, un quartier verdoyant bordé d'un côté par de luxuriants vergers de nectarines ou des pommeraies, et de l'autre par l'église anglicane. Ponctuant Gully Road se trouvaient les vestiges de commerces fermés depuis longtemps – un tailleur, le studio-photo Kilby, un magasin de souvenirs – qui avaient prospéré à l'époque de la Ruée vers l'Or avant de décliner après le départ de ceux qui avaient fait fortune.

Lors du rush, la population s'était répandue dans le bush environnant. Les marécages, qui s'étendaient au nord-ouest de Flint, avaient jadis abrité jusqu'à une centaine de tentes ou de cabanes miteuses, mais il n'en restait plus que quelques hectares truffés de troncs noircis, de fossés traîtres, de débris de verre, fragments de vaisselle, ustensiles de cuisine rouillés et autres tas de vêtements moisis. Lorsque les mineurs étaient partis pour des terrains aurifères plus éloignés ou des logements plus salubres, les citoyens les plus prévoyants de Flint avaient eu hâte de nettoyer et exploiter cette zone en raison de sa proximité avec la rivière, mais rien n'avait jamais été fait et c'était toujours le même coin sordide, inondé par les crues l'hiver et infesté de serpents l'été. Même les enfants, en général intrépides et aventureux, préféraient faire un détour pour aller à la rivière plutôt que de risquer d'être attrapés aux chevilles par les esprits mauvais et autres lézards-fourmis de la mythologie aborigène qui rôdaient dans les ravines gorgées d'eau.

Le père de Quinn avait raconté comment il avait vu, un jour, une Irlandaise accoucher seule au bord de l'eau, sur l'herbe boueuse, au milieu de tout ce chaos, et comment ensuite, alors qu'elle s'éloignait en titubant avec son bébé vagissant, un dingo était venu rafler le placenta violacé, strié de veines, pour s'enfuir avec cette chose frémissante dans sa gueule. *Satanés Irlandais !* concluait en riant son père – commentaire qui ne manquait jamais d'attirer un *Chut, Nathaniel !* de la part de Mary Walker.

De son nid d'aigle, Quinn pouvait voir leur ferme sur une petite butte, en lisière de la ville. Une maison de pierre construite par son père, une écurie, un poulailler, un enclos pour les quelques moutons et chèvres. Le toit en tôle brillait au soleil de midi. Le chemin de terre gisait comme un cordeau à travers les ormes.

Tout autour de lui, dans les arbres proches ou lointains, dans les fougères qui jonchaient le sous-bois, on aurait dit qu'animaux et insectes chuchotaient et gazouillaient, bavardaient pour saluer son retour après toutes ces années. Au bout d'un moment, il s'allongea et somnola à même le sol, songeant à ce qu'avait dit Edward Fitch : *Y jurent qu'ils te pendront de bon cœur. On te zigouillera pour de bon.* Il sortit son revolver et le soupesa, prêt à tout. Des formes remuaient dans les franges de sa mémoire – bâillant et s'étirant, lancées à sa recherche. Ce n'était pas une pensée réconfortante.

Quinn passa le plus clair du lendemain à surveiller la maison, mais sans voir personne. Cet apparent abandon le troublait. Avaient-ils tous fui la grippe espagnole ? Il se rongea l'ongle du pouce, roula et fuma des cigarettes. Par habitude, il examina la doublure de son manteau et de son pantalon, à la recherche de poux. *Lire ses vêtements* – c'était l'expression en France pour désigner cette pratique, comme si on avait pu l'ennoblir en s'imaginant en érudit penché sur de vieux manuscrits.

Un corbeau perché sur une branche croassa et gonfla les plumes de son cou avant de darder un œil perçant sur lui. De nouveau, il lança son cri dans sa propre langue. Était-ce un mot de bienvenue ? Un avertissement ? Ils se contemplèrent pendant quelques minutes – d'égal à égal –, après quoi le corbeau eut comme un frisson de mécontentement et s'envola. Il se posa sur l'eucalyptus voisin et se mit à lisser ses plumes à coups de bec saccadés, tout en guettant d'éventuels dangers ou proies. Pouvait-il apercevoir l'océan de là-haut, d'autres pays – le désert ? Le futur, le passé ? C'était l'oiseau que Noé avait envoyé depuis l'arche voir si les eaux du déluge avaient baissé : il devait tout savoir.

De temps en temps, la poitrine et le ventre torturés par des brûlures, Quinn devait interrompre ce qu'il faisait pour se plier en deux en attendant la fin de la crise. Ses yeux se mouillaient de larmes et des filets de bave coulaient de ses lèvres. Le gaz moutarde. Ce foutu gaz moutarde. C'était en lui comme une maladie. Jamais il n'en serait débarrassé.

Tenant un petit miroir devant son visage, il s'exerça à parler avec le coin droit de sa bouche – le côté intact – arrondissant ses lèvres comme on le lui avait enseigné à l'hôpital. *Je m'appelle Quinn Walker. Ce chasseur sait chasser sans son chien. Didon dîna, dit-on, du dos dodu…*

Parfois, il pleurait, tout simplement ; il émergeait de sa sieste le visage trempé, et avec une feuille ou une brindille imprimée dans sa joue.

À la fin de la journée, de la fumée commença à se dérouler de la cheminée de la maison. Vingt minutes plus tard, portée par la brise, Quinn en détecta l'odeur. Il ne vit aucun autre signe de vie, jusqu'au moment où une lampe fut allumée à l'intérieur de la maison, éclairant la fenêtre de la cuisine. Bien qu'incapable de rien entendre, il savait que les chiens aboyaient là-bas, que des portes-moustiquaires étaient claquées, que des mères rappelaient leurs enfants éparpillés dans les rues et vergers. Bientôt, la maison fut engloutie par les ténèbres grandissantes.

Il creusa un trou dans le sol, fit un modeste feu et s'installa, le dos rond, les mains jointes autour des genoux, une couverture sur les épaules, grelottant. Ce feu était un grand luxe. Durant la guerre, rares avaient été les occasions d'en faire, même l'hiver, quand la neige tombait.

Il fit cuire le lapin qu'on lui avait offert. La maigre créature, écorchée et empalée sur un bâton, perdait ses sucs dans les flammes. Après l'avoir dévorée, déchiquetant à mains nues chaque morceau tendineux et avalant bouchée par bouchée, il roula en boule son trench-coat pour s'en faire un oreiller et s'allongea afin de contempler les flammes. Le trench avait une odeur de pays lointains, de boue, et, vaguement, de chlore. Les ténèbres alentours étaient approfondies par la proximité des flammes et les troncs des arbres tout proches se tordaient dans cette lueur dansante. Il s'efforça de calculer combien de jours s'étaient écoulés depuis son retour en Australie. Quatre ? Cinq ? Sous ses pieds, il y avait toute l'épaisseur de la planète, sur des milliers de kilomètres. Il imagina des brasiers, le cri strident du métal, ces diables et gobelins s'affairant à leur bizarre industrie.

Quelque chose se frayait un chemin dans les taillis tout proches. Il se redressa en brandissant son revolver et guetta les grognements d'un wombat ou le cri rauque d'un opossum, mais rien ne vint. Puis, confus, ancré dans les brumes de sa surdité partielle, le craquement d'une brindille. Il braqua son arme et attendit pendant plusieurs minutes. Cet idiot de Fitch ne l'avait quand même pas suivi ? Aurait-il parlé à quelqu'un de leur rencontre ? Il pencha la tête pour favoriser chacune de ses oreilles tour à tour, mais sans plus de résultat. Sans doute un kangourou.

Au bout d'une demi-heure, il se décontracta et s'assoupit ; mais au milieu de la nuit, alors que le feu n'était plus que braises, il y eut comme une pause dans les canonnades – la valeur d'un battement de cœur – puis le coup de gong issu du plus profond de ses rêves.

Il s'éveilla aussitôt et se précipita vers la musette, qui était d'habitude juste à son côté, mais pas ce soir, allez savoir pourquoi. Merde ! Merde... Il devenait négligent, et les soldats négligents crèvent ! Difficile de voir à la lueur chiche du clair de lune. La nuit était d'une douceur insolite. Il s'efforça de rester calme, de demeurer au ras du sol, de bouger et respirer au minimum, comme on lui avait appris. Il aperçut la musette, en partie cachée par son trench-coat. *Gaz, gaz, gaz, gaz, gaz !* Si vous en sentez le goût, c'est qu'il est trop tard. Ses doigts voletaient, pâles comme des phalènes. La bande en tissu s'accrocha à un truc. Re-merde ! Il tira – en vain. Un caillou s'enfonça dans son genou. Il déchira la musette et ajusta le masque sur son visage – sangles derrière la tête, bien plaquer contre les narines, puis la partie en caoutchouc pour la bouche. Respirer par la bouche uniquement. Et toujours cette crainte que le masque ne soit pas à sa taille, ou d'avoir pris dans sa hâte le mauvais – pour finir mort et gonflé comme ce pauvre type de Melbourne, la face dans la boue. À travers les grosses lunettes, le monde semblait glauque et vague. *Passe, passe, passe !* L'intérieur du masque empestait la sueur et le caoutchouc, ses poumons irrités. Dieu me vienne en aide, songea-t-il. Dieu me vienne en aide. Accroupi, le plus au ras du sol possible, il passa ses mains tremblantes sur les contours du masque. Il le pressa sous le col de sa tunique, contre la peau tendre de sa gorge. Avec cette tête énorme voguant au-dessus de sa carcasse frêle, il était comme coupé du monde, en plein silence, baignant dans sa propre atmosphère. Et c'est alors seulement qu'il comprit. Et merde.

3

Le lendemain, Quinn quitta l'ombre fraîche des pins. Il crapahuta à travers des fougères et le long de ravines à sec, taillant sa route avec un bâton, récoltant coupures et égratignures au passage. Ce paysage lui était familier mais étrange, comme s'il traversait une région sur laquelle il aurait beaucoup lu.

Prudent, il se tapit dans les broussailles bordant la propriété paternelle. Il savait qu'il serait parfaitement camouflé à condition de ne pas bouger. La chaleur était plus intense ici, faute de brise. Des moustiques invisibles le piquaient aux chevilles et aux avant-bras. La maison semblait inchangée, construite en pierre et en bois, les matériaux mêmes de la terre qui la portait. Une véranda ouverte bordée de buissons et de fleurs courait sur trois côtés. Tisons de Satan et lavande. Un drapeau jaune et flasque pendait à une hampe plantée dans la balustrade. Quarantaine. Edward Fitch avait raison. Quelqu'un à l'intérieur était contaminé.

Au bout d'une vingtaine de minutes, un homme surgit

de l'écurie et ouvrit le portail. Il lui était familier, mais à peine. Sa démarche était bizarre, comme si ses pieds étaient en verre ou en argile. C'était bien son père, Nathaniel Walker, plus vieux, ses cheveux plats devenus gris, encore plus maigre que dans les souvenirs de Quinn. Ce dernier s'enfonça encore davantage dans les fourrés, tandis que son père menait un cheval hors de l'écurie, se hissait en selle et s'éloignait entre les haies de cyprès qui gardaient l'entrée, laissant dans son sillage de petits nuages de poussière qui ne retombèrent que très lentement.

Quinn s'attarda parmi les craquements et rumeurs de la forêt. À défaut d'autre chose, la guerre lui avait appris à se tenir tranquille pendant de longs moments. Des mouches bourdonnaient autour de son visage moite. Fasciné, comme si elle avait été construite avec les éboulis d'une hallucination, il contempla la maison, à deux cents mètres de distance. Elle était plus petite que dans ses souvenirs – mais rien de plus normal. La mémoire était imprécise ; on ne pouvait s'y fier.

Son père n'était apparemment pas près de revenir, et comme il n'y avait personne d'autre dans les parages, il sortit du sous-bois et s'approcha, soulevant de la poussière. Au pied des marches, il s'arrêta pour passer la main sur la lavande. Il en prit une touffe, roula les petites fleurs entre ses doigts et les porta à ses narines. C'était l'une de ces rares plantes dont le parfum correspondait à l'apparence. Une odeur de cave s'élevait de dessous la maison, amenant un flot de souvenirs, le cri d'un enfant qui joue.

En été, il avait l'habitude de s'accroupir là, avec son frère et sa sœur, pour jouer à cache-cache ou aux osselets. Sans doute y avait-il encore, cachés quelque part dans la terre, des os de mouton dans un sac moisi, avec les noms que lui et William y avaient sculptés, et les fantastiques animaux ailés que Sarah dessinait avec son bout de craie. Fier de ses initiales – WW – William ne ratait jamais une occasion de les graver dans des troncs d'arbres ou des poteaux.

Songeant toujours à la mise en garde de Fitch, il tira son revolver et se figea devant la porte-moustiquaire. Un courant d'air sépulcral sortait de la maison. Il se demanda s'il ne ferait pas mieux de partir maintenant, avant qu'il ne soit trop tard, et comprit qu'il était *déjà* trop tard, et cela depuis des années. Non. Il fallait continuer. Après avoir fait tout ce chemin. Après toutes ces années. Il entra.

Dans la cuisine, il huma et détecta une odeur de… quoi ? Un truc âcre, médicinal, à la fois ordinaire et bizarre. Tout ici était sec, épuisé, décoloré. La mélancolie l'envahit comme du vin trouble le contenu d'un verre d'eau. Là, la table en bois où il avait pris des centaines de repas avec sa famille. Où William le lorgnait, barbouillé de confiture. Où Sarah, cette chère Sarah, se penchait pour lui chuchoter à l'oreille une idée d'aventure. Où leur père racontait la dernière lubie dont il avait entendu parler à l'hôtel, tandis que leur mère les exhortait à être sages et à manger.

Les chaises étaient de travers, comme si les convives s'étaient enfuis en catastrophe, ce qui était peut-être le cas. Des miettes de pain sur une planche à découper, un pot de miel. Il y avait un panier rempli d'assiettes et de bocaux par terre, près de la porte. Un rayon de soleil sur une petite cuillère, une marguerite rose à la tige cassée dans un vieux flacon de médicament. Son cœur se gonfla. Il entendit un vague gémissement, un grincement, et s'arrêta pour prêter l'oreille. Il fourra un doigt dans son oreille. De nouveau, il l'entendit – ce bruit à la limite de l'imperceptible. Puis, plus rien. La maison tout autour de lui, au-dessus et au-dessous, était silencieuse. Puis, encore, une douce plainte émanant de la chambre de ses parents. Il se força à avancer sur la pointe des pieds le long du couloir sombre.

Sur le seuil, il marqua une pause. On ne pouvait distinguer grand-chose, hormis un rai de lumière à la jointure des rideaux. Au bout de quelques secondes, à travers l'obscurité digne d'une épave de navire, le reflet d'un miroir et d'une brosse à cheveux posée sur une commode. Des grains de poussière scintillant une seconde puis s'évanouissant. Une chaise en bois. Des piles de livres par terre, en équilibre précaire. Le reste de la maison – en fait, le monde entier – semblait très loin d'ici. Et exposée au mur, sous cadre, une image du Christ en croix – épaules affaissées, le sang s'écoulant de la plaie au flanc, la cage thoracique dessinée avec une précision anatomique. Puis, prenant forme, un lit dressé contre une fenêtre voilée de rideaux, la literie toute froissée évoquant une chaîne de montagnes en miniature. Une main sur la courtepointe.

Des doigts longs et fins. Quelqu'un était endormi. Une femme.

La curieuse odeur qu'il avait décelée était plus forte ici, presque accablante. Il mit les brins de lavande contre son nez et s'empêcha de tousser. Au bout de quelques instants, il succomba à la force d'attraction de l'histoire, de la famille, de l'amour, et se rendit doucement au chevet de sa mère.

Couchée au milieu du grand lit, sous un amas de couvertures, elle n'avait pas l'air en forme. Jadis rond et souriant, son visage était à présent fin et émacié. Sa respiration était laborieuse, avec des bulles, comme si elle était à moitié enterrée dans la boue. Et au cou, pendant contre sa gorge moite, il y avait la source de cette odeur insolite : un collier de grosses boules de camphre.

Il la contempla pendant un moment, cloué sur place. Ses longs cheveux noirs étaient étalés sur l'oreiller. L'une des boules de camphre s'était nichée dans le creux, humide et tremblant, de sa gorge. La pendule égrenait les secondes. Elle faisait peine à voir, mais du moins était-elle en vie. Le soulagement de Quinn balaya tout sur son passage.

Elle remua sous le tas de couvertures et ouvrit les yeux. Aussitôt, son attention se concentra sur lui, comme si elle avait toujours su où il se tiendrait à son retour, malgré les années. Cependant, elle se recroquevilla.

– Qui êtes-vous ? dit-elle d'une voix enrouée.

Quinn écarta la poignée de lavande de son visage.

– Mon Dieu, dit sa mère. Mon Dieu…

Son regard tomba sur le revolver qu'il avait toujours au poing.

– C'est moi que tu viens tuer, à présent ? Je ne suis pas encore prête. Pas encore… par pitié !

Quinn en resta bouche bée. Son regard plongea dans celui, terrifié, de sa mère, et il s'enfuit.

4

Un autre jour passa. Choqué par la vision de sa mère dans cette chambre lugubre, Quinn ne s'éloigna guère de son campement. Souvent, pris de bougeotte, il s'aventurait dans le sous-bois, mais le reste du temps, il sommeillait. À travers ses paupières, le visage de sa mère se dressait devant lui, hâve et épouvanté.

En fin d'après-midi, le soleil se faisant moins ardent, il s'aventura dans une clairière. Il resta un moment dans l'ombre rassurante des arbres, avant de s'avancer à découvert. Après tout, ce n'était plus la France, ici ; pas de tireur embusqué. Malgré tout, il plongea la main dans sa tunique pour toucher son revolver, comme si c'eût été un crucifix capable de lui attirer une protection divine. L'herbe lui arrivait aux genoux et s'inclinait par longues gerbes bruissantes. Il leva les yeux vers le ciel bleu. Des corbeaux et d'autres oiseaux, ces heureuses créatures affranchies de la gravité, planaient très haut – atomes contre ce lavis bleu.

Il ferma les yeux pour mieux jouir de la chaleur. Bientôt, il fut alerté par un cri perçant. Il regarda autour de lui en clignant des yeux et vit, à l'orée de la clairière, un agneau tout tremblant. Un fermier avait dû mener paître son troupeau sur ces hauteurs, et ce pauvre petit s'était trouvé séparé de sa mère. Seule sa tête était visible tandis qu'il trébuchait dans les herbes hautes. L'ayant vu, l'agneau inclina la tête et trottina vers lui en bêlant. Quinn resta immobile, surpris par cette marque de confiance. L'agneau leva vers lui un regard naïf et chassa les mouches posées sur ses oreilles et son nez. De nouveau il bêla et lui donna un coup de tête à la jambe. Quinn s'agenouilla pour caresser sa tête osseuse. Il ôta les graines parsemant son frêle corps tout blanc, ses pattes si maigres. L'animal émit comme un gloussement. Il alla gambader dans les herbes avant de revenir là où Quinn s'était accroupi. Il pouvait sentir son haleine moite et parfumée, et ce parfum – si chaud et confiant, si vivant – provoqua, mystérieusement, ses sanglots. L'agneau vint se blottir contre son épaule. Quinn se surprit à le consoler à mi-voix, disant des choses qu'on aurait pu dire à un petit enfant malade ou qui se serait réveillé en pleurs à cause d'un cauchemar.

Longtemps ils restèrent là, sans bouger. Il y avait des années qu'il n'avait connu une telle paix. Il se sentait à l'abri. Des ombres s'allongeaient au-dessus d'eux tandis que la chaleur se retirait, et Quinn se demanda ce que Dieu pourrait bien faire d'eux deux, si jamais il posait son regard omniscient sur cette terre.

Accroupi dans les taillis, Quinn continua à observer la maison dans les jours qui suivirent. Souvent Nathaniel s'attardait sur la véranda d'un air gêné, parlant en apparence tout seul. Mais en fait, comme Quinn finit par le comprendre, il parlait à sa femme par la fenêtre ouverte – redoutant la contagion. Avant de partir à cheval, il se tenait dans la cour poudreuse pendant plusieurs minutes, à regarder dans le vide, comme s'il attendait que la vie prenne un sens. C'était une attitude que Quinn connaissait bien – par le passé, son père avait souvent adopté cet air lointain, quand il se demandait quelle crédibilité accorder aux dernières nouvelles entendues chez Sully ou au bar de l'hôtel.

Nathaniel était un enthousiaste. Il s'estimait à l'avant-garde de la pensée moderne et n'était jamais aussi heureux que lorsqu'il était installé avec un étranger qui venait d'arriver de Sydney, le front plissé, le menton dans la main, à ruminer la dernière idée saugrenue importée de Londres. Il y avait peu de concepts que Nathaniel n'eût approuvés, du moins pour un temps. Après tout, disait-il à ceux qui cherchaient à le modérer (à savoir son épouse), n'avait-il pas pris un risque en amenant sa famille à Flint, pour commencer ? Et tout l'argent qu'ils avaient gagné, comme ils avaient prospéré ! S'il avait écouté ces satanés fatalistes, il en serait encore à creuser des fossés pour un quelconque fermier anglais. En son temps, il avait tâté de la culture du riz ; il avait été un socialiste réformateur et avait investi dans une huile – la Lotion Gingerman – censée guérir de la calvitie mais qui laissait ses malheureuses victimes puer comme un wombat trempé. Il s'était enthousiasmé pour l'électricité, les aéroplanes, et les multiples possibilités de l'alchimie. C'était, en résumé, un amoureux des possibles. *Vous vous imaginez ?* disait-il en secouant la tête, émerveillé. *Non mais… vous vous imaginez ?*

Il y avait d'autres croyances qui avaient élu domicile dans son imagination et refusaient d'en bouger. Il croyait que les Chinois habitaient des trous dans la terre ; il jurait avoir parlé un soir à un lézard-fourmi, près de la Mine de l'Épervier ; et il ne pouvait s'empêcher de soupçonner que les rapports de Quinn et Sarah étaient malsains – sa femme aurait pu quand même intervenir, regarde-moi ces deux-là, les gens jasent… Sa conviction là-dessus était telle qu'il leur avait interdit à une certaine époque de jouer ensemble, un ordre qui avait été suivi deux jours durant avant d'être ignoré.

Depuis sa cachette, Quinn voyait des femmes arriver à bicyclette en apportant des assiettes et paniers parmi d'autres choses qu'elles déposaient sur les marches avant de repartir en toute hâte. S'il était là, Nathaniel saluait cérémonieusement ces émissaires du Corps des Auxiliaires de l'Armée, après quoi ils bavardaient ensemble avec gêne pendant une minute ou deux avant que ces dames, enfourchant leurs engins, ne s'éloignent cahin-caha sur la route.

Par une après-midi de ce genre, Quinn attendit que son père soit parti pour se glisser de nouveau à l'intérieur de la maison, traverser le sombre couloir et pénétrer dans la chambre de ses parents. Cette fois, sa mère était éveillée ; elle le considéra avec une morgue réfrigérante.

– Vous ressemblez à mon fils, déclara-t-elle au bout d'un moment, mais je suis à peu près certaine qu'il ne reviendrait pas ici.

Il resta sur le seuil.

S'ensuivit un silence méfiant, après quoi sa mère se redressa au prix d'un effort manifeste.

– Approche-toi. Laisse-moi toucher ton visage, mon garçon…

Il s'approcha en traînant les pieds et tendit sa main. Sa mère sonda sa paume avec un doigt. Elle tressaillit, comme si elle s'était brûlée.

– Alors, tu n'es pas un fantôme ? Mon Dieu… Mais es-tu capable de parler ?

Quinn effleura la partie abîmée de sa bouche.

– Oui, dit-il, conscient du faible zozotement – le mot s'était accroché aux barbelés de sa bouche.

– Quinn ? C'est vraiment toi ?

– Oui, maman.

– Mon… fils ?

– … Oui.

– Mais ils m'ont dit que tu étais mort ! J'ai même une lettre.

– Ils ont eu tort.

Cela la fit réfléchir pendant quelques secondes.

– Qu'est-ce que tu veux ?

– Je suis venu te dire quelque chose.

– Quoi ?

– Je suis venu te dire que ce n'est pas moi…

Elle détourna les yeux et murmura des mots inaudibles.

– Ce n'est pas moi, insista Quinn, avec l'énergie du désespoir. Je te le jure ! Ce n'est pas moi…

Elle toussa, puis l'affronta, le regard empreint de fureur.

– Tu viens me dire ça maintenant, au bout de dix ans ? Dix ans, Quinn ! Où tu étais passé pendant tout ce temps ? Toutes ces années où je me suis interrogée… Tu n'as pas pensé à nous… à moi ?

– Si, maman. bien sûr que si.

C'était vrai. Rares étaient les jours où il n'avait pas pensé à ses parents, ou imaginé son retour, mais plus les années passaient, moins c'était envisageable. Même aujourd'hui, c'était par un concours de circonstances qu'il se retrouvait ici. Son courage tout neuf était le fruit du hasard. Il songea à la médaille militaire qu'il avait jetée dans l'océan.

– J'irai à la police. Je dirai que ce n'était pas moi.

– Mais que s'est-il passé ce jour-là, Quinn ? Dis-le-moi…

Il fit non de la tête. C'était au-dessus de ses forces.

– Je ne sais pas trop, mentit-il. Je l'ai trouvée là-bas…

Elle chercha sur son visage des signes de tromperie, puis se détourna et toussa dans un mouchoir roulé en boule.

– Évidemment, je n'ai jamais cru que c'était toi. Tu étais un gentil garçon. Mais je dois te mettre en garde : je suis la seule à penser ça…

C'est seulement alors que Quinn s'aperçut qu'il avait retenu son souffle, dans l'attente de cette réponse.

Pendant quelques minutes, plus personne ne dit rien. De nouveau, elle l'affronta du regard.

– Ton signalement avait été envoyé partout à la police, tu sais. Il y avait même une récompense. Un traqueur s'est lancé à ta recherche, mais la tempête avait effacé toutes tes traces. Ta disparition était si… – elle chercha son mot – totale. Je t'ai pleuré, Quinn. Robert et ton père ont dit à tout le monde ce qu'ils avaient vu…

Il tituba en avant, l'interrompant.

– Ce qu'ils croient avoir vu… Que t'ont-ils dit exactement ?

Sa mère ferma les yeux. Il crut qu'elle s'était endormie, mais peu après ses yeux se rouvrirent.

– Je n'ai pas voulu trop en entendre… Mon frère m'a dit que tu pleurais et que tu étais couvert de sang. Il a dit que tu tenais un couteau, et que tu avais l'air coupable. Tu t'es enfui. J'ai vu comment les gens nous dévisageaient avec pitié. Il est des choses qu'une mère n'a pas besoin de savoir, mais cette histoire est désormais gravée dans le marbre. C'était dans le journal de Sydney. Les histoires sont difficiles à réécrire, surtout après si longtemps.

– Et ils préfèrent croire que j'ai tué ma propre sœur ?

– C'est terrible à dire, mais j'ai été contente d'apprendre que tu avais été tué à la guerre. Cela signifiait que cette histoire atroce était terminée.

Elle l'examina, comme si elle craignait qu'il parte d'une seconde à l'autre, puis repoussa le drap et s'efforça de s'asseoir.

– Mon Dieu, mais tu ne devrais pas être ici ! Tu n'as pas vu le drapeau ? L'endroit est placé en quarantaine. Le drapeau jaune ?

– Si, mais il fallait que je vienne. J'avais besoin de te voir. La ferme semble à l'abandon.

Une fois de plus, elle toussa.

– C'est quasiment le cas… Tu as la grippe ?

– Non.

– Pour le moment. Même ton père…

– Quoi ?

– Il dort dans l'écurie. Il reste à l'écart pour pouvoir continuer de travailler à la mine. Jusqu'à ce que la quarantaine soit levée. Seul le docteur vient. Tu devrais au moins mettre un de ces masques…

Elle contempla un point sur le mur, comme si l'assassin avait pu être là, tapi dans l'ombre.

– Le coupable, Dieu le traitera à Sa manière. Celui qui a fait cela, Dieu s'en occupera. On ne peut échapper à un tel crime. Rappelle-toi la parole d'Isaïe : *Soyez forts ! N'ayez pas peur ! Voici votre Dieu. Il vient vous venger.*

Quinn acquiesça. C'était une idée qu'il avait déjà évoquée lui-même pour se consoler. Après un court silence, il déclara :

– Je vais essayer de rétablir les choses, maman.

– Redresseur de torts ?

– Si je le peux. Je dirai à papa que ce n'était pas moi. Il n'est pas trop tard pour rendre un semblant de justice à Sarah.

– Non, Quinn. Ton père te tuerait. Il y a des choses qu'il refuse de croire… Tu le connais. Ce n'est plus le même. Ça l'a anéanti. Ça nous a tous anéantis. Heureusement que mon frère était là. Il m'a sauvée du désespoir. Il était aussi accablé que nous. Il l'aimait, tu sais ! Il s'en veut de ne pas avoir attrapé son meurtrier. Lui aussi croit que c'est toi – comme tout le monde. Il n'y a rien à faire. C'est trop tard, maintenant...

Elle toussa.

– Quinn ? Pourquoi es-tu resté absent aussi longtemps ?

– J'avais peur. J'ai su ce qu'on disait de moi.

De nouveau, elle l'examina, laissant son regard languissant descendre – comme pour suivre l'évolution d'une plume visible d'elle seule – de la cicatrice sur la bouche jusqu'à sa gorge, les boutons ternis de sa tunique, et enfin, les mains au bout de ses bras ballants.

– Tu as fait la guerre ? Alors ça, c'était vrai ?

Il opina.

Elle articula quelque chose et, comme il indiquait d'un froncement de sourcils qu'il n'avait pas compris, elle répéta :

– C'était dur... ?

Le sol qui s'ouvre, un soldat sodomisant un cadavre au crépuscule, un char embourbé, le silence après les tirs de barrage, tandis que les nations comptent leurs morts. De cela, il était impossible de parler. Impossible, car on l'aurait traité de menteur : nul ne souhaitait vraiment savoir de quoi est capable l'être humain.

Il posait des rails de chemin de fer au sud de Grafton quand il s'était engagé volontaire, croyant naïvement que la guerre était une affaire propre aux résultats tangibles. Il se rappelait l'affiche en couleur au flanc d'une carriole, avec ce slogan : SAISISSEZ LE GLAIVE DE LA JUSTICE, et en illustration cette belle femme qui s'élançait en brandissant une arme de ce genre. À l'époque, c'était enthousiasmant, et il avait eu l'impression de donner un sens à sa vie – sentiment qui lui faisait défaut depuis des années. On lui avait promis qu'il se couvrirait de gloire, qu'il contribuerait à une œuvre grandiose, là où il n'y avait eu que ruines et chaos.

Mary passa la main sur ses cheveux humides. Elle s'humecta les lèvres.

– Ce siècle a été cruel. Qui sait ce que l'avenir nous réserve encore ? Au moins Dieu t'a-t-il épargné, mon fils. Il t'a épargné…

À l'hôpital de Harefield, c'était ce que lui avait dit l'infirmière. Bouffée soudaine de phénol et de choux de Bruxelles froids, couinement des semelles en caoutchouc. *Dieu m'a épargné, c'est vrai. Si tu voyais certains… À faire dresser les cheveux sur la tête. J'ai été sauvé pour une bonne raison.*

– Et ton visage… ?

– Un éclat d'obus. L'artillerie allemande…

– C'est douloureux ?

– Plus maintenant. On m'a bien retapé. Il y a bien pire. J'ai eu… de la chance.

Elle toussa et but un peu d'eau dans son verre.

– On dit que ces Allemands ont crucifié un homme au mur d'une grange. Qu'ils ont fait… des choses innommables à des jeunes filles.

Quinn se rappela ce morne après-midi d'hiver où la rumeur de cette crucifixion avait couru dans les tranchées.

Sa mère retomba sur l'oreiller.

– On s'habitue à ses chagrins, je suppose, aussi déplaisants soient-ils. On ne peut pas pleurer éternellement. Les larmes finissent par se tarir. Je ferais n'importe quoi pour ressusciter Sarah. N'importe quoi.

Pendant de longues minutes, plus personne ne parla. Sa mère se tourna pour couler un regard à travers les rideaux. De nouveau, des larmes perlèrent sur ses cils. Elle n'était pas au bout de sa souffrance, semblait-il.

Enfin, elle se tourna vers lui et sa bouche ébaucha un fin sourire comme si c'était seulement maintenant, au bout de vingt minutes, qu'elle voulait ajouter foi à sa présence.

– Ah, Quinn… Tu m'es revenu. Contre toute attente. Comme je l'avais demandé dans mes prières…

– Et tu me crois ?

Elle réfléchit avant de répondre.

– Je ne t'ai jamais vraiment cru capable d'une telle horreur. Les mères ont toujours une bonne opinion de leurs enfants… mais *qui* peut être capable d'une chose pareille ?

Là, ses yeux se fermèrent – en fait tout son visage se rembrunit, ne laissant passer que quelques sanglots qui s'étaient échappés de ses lèvres gercées.

Peu après, elle reprit contenance.

– Mon beau garçon. Ma belle petite. Vous étiez comme des jumeaux. Cette façon de te mener à la baguette. Toi, son frère aîné ! Tu lui étais si *dévoué*. Un frère adorable. Elle te menait par le bout du nez. Tu te souviens de cette course, le jour où elle vous a fait, toi et William, vous déguiser en fées ou que sais-je… ? Ton père enrageait, bien entendu…

Il sourit, soulagé. Un cap semblait avoir été franchi. Il entendit de nouvelles louanges sur son compte, et se sentit redevenir un petit enfant, guettant punitions ou marques d'affection. Elle toussa et grimaça sous l'effort que cela représentait.

Ensuite, elle se tourna vers lui et déclara, de sa voix rocailleuse :

– Approche ! Que je te voie... Il fait si sombre, ici !

Il se pencha un peu plus, jusqu'à sentir la brûlante machinerie de fièvre qui s'activait dans son corps. Elle fourragea parmi ses couvertures, à la recherche de son mouchoir, dans lequel elle toussa de nouveau, cette fois pendant plusieurs minutes. Cette crise l'épuisa et, quand elle se détourna, il vit que son cou était marbré de taches violacées. Elle ferma les yeux et s'endormit.

Des émotions se foraient un tunnel en lui comme des souris. Jamais il n'aurait dû revenir. Il aurait dû revenir plus tôt. Il n'aurait pas dû partir. Avec cette fièvre, si jamais elle disait l'avoir vu, on croirait à une hallucination imputable à la maladie. Il lui essuya le front avec un linge humide, puis s'en alla furtivement.

5

Quittant la maison paternelle, Quinn marcha dans la forêt, s'arrêtant de temps en temps pour vérifier son orientation, négocier le passage d'un affleurement rocheux ou d'un tronc d'arbre. Cette conversation avec sa mère l'avait déboussolé, mais savoir qu'elle le croyait innocent tempérait le désespoir où l'avait plongé son état. Rien que pour cela, il avait eu raison de rentrer. Sa nuque était de plus en plus sensible à la chaleur du soleil.

Ce fut un choc de comprendre qu'il était arrivé au cimetière, situé sur une petite colline à environ trois kilomètres de Flint. Une fois à la grille rouillée, il se retourna pour contempler la bourgade. À cette distance, on pouvait voir la flèche de l'église et, au-delà, les Blue Mountains frémissant dans la brume. La chaleur pulsait du sol et les cigales se déchaînaient dans les arbres aux alentours.

Au côté des sépultures plus anciennes et délabrées, avec leurs stèles ébréchées, de guingois, il y avait de récents monticules de terre, dont chacun s'ornait de fleurs coupées encore fraîches et de pierres tombales neuves. *Ginny Reynolds, Les McMahon.* Autant de victimes de la grippe.

Il n'avait pas eu l'intention de visiter ce cimetière, mais c'était un lieu curieusement apaisant et il y passa un moment, allant d'un mort à l'autre tout en rêvassant. Il y avait de pires endroits pour y passer l'éternité, et il songea à ces milliers d'hommes ensevelis dans la terre glacée de France, parfois en plusieurs morceaux.

En ces temps de guerre et d'épidémie, on ne pouvait éviter de songer à la mort, mais il ne pouvait imaginer un au-delà. En France, il avait passé des nuits à proximité de cadavres et avait toujours trouvé cette présence angoissante, comme si leur mutisme traduisait une impossible exigence. Il se rappelait un homme vautré par-dessus un rouleau de fil barbelé, toutes dents dehors – horrible rictus. Ne rien sentir, ne rien savoir, n'être rien, n'avoir rien. Pas étonnant si on avait inventé le paradis.

La tombe de Sarah se trouvait sous un eucalyptus imposant. Une mouche volait autour du visage de Quinn. Il marqua une pause, hors d'haleine dans cet après-midi soporifique, contempla la stèle et se sentit très loin de tout, comme si le reste du monde, ou lui-même, avait dérivé. Il attrapa une branche comme il l'aurait fait du bastingage d'un navire qui tangue, le temps que cette sensation se dissipe. Il chassa cette satanée mouche, mais elle fut remplacée par une autre. Son immense chagrin était précisément la raison pour laquelle il n'était pas revenu jusqu'à présent. Il avait prévu que ce serait ainsi. Sa sœur. Sa pauvre sœur assassinée. Si seulement ils avaient pu échanger leurs places – ne fût-ce qu'un jour sur deux, tels Castor et Pollux, les jumeaux de la fable…

L'épitaphe était érodée mais bien lisible :

Sarah Louise Walker
1897-1909
Emportée trop tôt
Bienheureux ceux qui ont le cœur pur

Il s'accroupit et survola le paysage en clignant des yeux. C'était presque beau, ici. Il médita ce que sa mère avait dit, le retournant dans sa tête, jusqu'à ce que les mots sonnent, telle une incantation. Un vol d'oiseaux attira son attention, et pendant une seconde, comme ils viraient, ils semblèrent non pas voler mais rester en suspension dans le ciel bleu. En fait, c'était tout l'univers qui semblait en suspens. *Je ferais n'importe quoi pour la ressusciter. Je ferais n'importe quoi pour la ressusciter. Je ferais n'importe quoi pour la ressusciter.* Une brise timide ébouriffa ses cheveux. Le monde poursuivait sa révolution. L'illusion se dissipa.

Il cueillit un brin d'herbe sèche, le mastiqua. Tendre et sucré – l'herbe avait peut-être poussé sur les restes de sa sœur, jaillissant de sa cage thoracique, là où palpitait son cœur. Il appliqua sa main sur cette terre d'une chaleur cuisante, comme pour rassurer Sarah sur sa détermination à l'aider. Il ferait ce qu'elle lui demanderait, dès lors que ce serait clair.

L'an dernier, il avait connu à Londres des gens qui croyaient que les morts pouvaient communiquer avec les vivants, mais ça n'avait de sens que si les vivants avaient aussi quelque chose à dire aux trépassés. Or, il ne savait quoi dire à Sarah, à supposer qu'il eût cette opportunité. *Je regrette* serait inapproprié. *Je regrette d'être arrivé trop tard.*

Dès la naissance de Sarah, il avait été ébloui. Comme leur mère, elle était renommée pour sa beauté, son esprit et son exubérance. Partout où elle allait, sa présence transformait l'atmosphère de la pièce, l'électrisait. Pendant un temps, elle avait convaincu William qu'elle pouvait voler mais préférait marcher pour cacher ses pouvoirs magiques. Elle avait tenté d'hypnotiser leur père avec la propre montre à gousset de ce dernier. Elle pouvait attirer les cigales par ses étranges roucoulades. Sa mère avait raison : Sarah avait coutume de le mener à la baguette, et pouvait obtenir de lui presque n'importe quoi. Un jour, elle avait exigé d'être véhiculée dans un chariot rouge pendant toute une journée, parce qu'il avait perdu un pari sur un sujet sans importance dont il ne se souvenait même plus. Tout autre aurait refusé – jamais William ne se serait plié à ce caprice, à supposer qu'il ait eu la bêtise de faire ce pari, pour commencer – mais Quinn avait accepté et enduré la réprobation des autres hommes de la maison, qui avaient cessé de réparer la clôture pour l'observer. *Regarde-moi ça*, bougonnaient-ils. *Quelle affaire…*

Lorsque Quinn retourna à son camp sous les pins, il eut l'impression très nette qu'on avait fouillé dans ses affaires. Les entrailles noires et tubulaires du masque à gaz s'étaient répandues hors du sac, et son trench-coat, qu'il avait pris soin de suspendre à une branche, traînait dans la poussière. On n'avait rien pris, cependant. Ses papiers de démobilisation, son livret militaire, ses quelques vêtements – tout était là. Un frisson glacé le parcourut. Il se tint tranquille, s'attendant à entendre, ou sinon détecter, quelque chose dans la brise, murmure ou mouvement qui aurait pu l'alerter sur la présence d'un intrus. Il tira son revolver et patrouilla dans les parages immédiats, s'arrêtant çà et là pour examiner une brindille cassée ou d'éventuelles traces de pas ; mais il ne trouva rien et revint faire du feu.

Au cours de la guerre, il avait entendu dire que des soldats devenaient fous à l'idée qu'ils avaient été choisis – de quelle manière, d'ailleurs ? – par un franc-tireur ennemi, et ils dépensaient une énergie précieuse à baisser la tête et zigzaguer à travers les tranchées dans l'espoir d'esquiver la balle qui leur était destinée. C'était exactement la sensation qu'il avait à présent. De temps en temps il faisait volte-face, croyant surprendre l'ombre menaçante de cet idiot d'Edward Fitch, ou – pire – celles de son oncle ou de son père, venus le lyncher. Il était bien connu que la forêt, par ici, abritait des monstres que la science n'avait pas encore catalogués, et dans son enfance il avait vu d'étranges traces de pattes au bord de la rivière – peut-être celles d'hommes-fourmis, de géants velus ; des êtres créés loin du regard de Dieu. Les Aborigènes prétendaient que vivait dans ces parages un être qui avait la forme d'un homme mais qui était tout rouge, et qui aspirait votre sang grâce aux ventouses au bout de ses doigts et orteils.

Quinn s'efforça d'entendre. Il fourra un doigt dans ses oreilles. Rien. Toujours rien.

Les médecins prétendaient que sa surdité résultait des tirs d'obus et qu'on n'y pouvait pas grand-chose. Selon eux, ce serait temporaire, mais parfois il avait la sensation que la gadoue de ces satanés champs de bataille français lui boucherait pour toujours les oreilles. À certains moments, il croyait entendre le crépitement d'un feu de brousse, à d'autres une mélopée aiguë. Avec le temps, il s'était habitué à ces bruits, mais le calme tout relatif de la nature australienne ne l'en rendait que plus conscient, comme si la guerre faisait toujours rage sous son crâne. En fait, son handicap le rendait hyper sensible aux bruits de son organisme – craquement des vertèbres cervicales quand il tournait la tête, battements laborieux de son cœur, bruissement de sa circulation sanguine. Pourtant, il avait de la chance. On lui avait parlé d'un type qui souffrait d'un mal analogue, sauf que ce qu'il entendait toute la journée, c'était les ronronnements d'un chat penché sur son épaule. Il y avait, cependant, des compensations : sa vue s'était du coup apparemment améliorée, et il avait l'impression d'apercevoir des choses invisibles aux autres. À Londres, par exemple, il avait été capable de reconnaître des relations au milieu de foules grouillantes, contrairement à ses compagnons.

Il s'assit sur un rondin et contempla les flammes. Une étincelle jaillit en l'air, tel un ange rappelé au paradis. C'était étrange, cette solitude. Pendant la guerre, il avait été habitué à la promiscuité, aux odeurs des autres hommes et à leurs bouffées d'angoisse. Il y avait comme une fraternité dans la terreur, quand ils étaient blottis dans les tranchées, collant le front aux parois, attendant le bombardement ou les coups de feu. Il ne craignait pas la mort. Il avait eu plus que sa part d'infortune, et, tandis que les autres priaient pour rester en vie, son propre souhait était bien plus radical – être délivré de tout ceci.

De nouveau, il fit le tour des environs immédiats, mais ne trouva rien de plus et, s'étant assuré que personne ne l'observait, il s'écroula et sombra dans un sommeil tourmenté.

6

Le lendemain, Quinn retourna à la ferme. Comme la première fois, il attendit derrière les fourrés d'être certain qu'il n'y avait personne dans les environs pour traverser la cour et s'introduire dans la maison.

Son attention fut attirée par les petites marques au crayon sur le montant de la porte, entre la cuisine et l'entrée. Elles indiquaient la taille des trois enfants. À chaque anniversaire, leur père brandissait une règle et un crayon avec solennité (*On ne se tient pas sur la pointe des pieds ! On se redresse !)* pour mesurer les progrès accomplis au cours de l'année. Nathaniel tirait toujours un peu la langue quand il se concentrait, disant : *Mouais, pas terrible cette année. Tu mangeras plus de carottes !* Mary riait et ramenait contre elle les deux autres qui piaillaient, arrangeant d'une main humide leurs cheveux.

Les gribouillis paternels étaient désormais presque illisibles. Quinn se pencha pour effleurer les mots du bout des doigts. Dans ce simple *William 1900 12 ans* ou *Sarah 1905 8 ans*, combien d'histoires de genoux couronnés, et cette fois où William avait failli se trancher une main en fendant du bois ! À cause d'une grippe qui l'avait clouée au lit pendant tout l'hiver, Sarah était restée petite pour son âge. Elle avait également sauté la mesure une année, se jugeant trop vieille pour ce genre de chose. William avait passé une nuit à Sutton Creek, à guetter le monstre fabuleux que Sarah prétendait avoir vu, le décrivant avec tant de détails que Quinn – qui savait l'histoire inventée – s'était surpris à éviter l'endroit pendant plusieurs semaines. Et la pauvre Sarah elle-même, dont la taille, le jour de ses douze ans, était la dernière chose à avoir été inscrite sur le chambranle.

Lorsqu'il entra dans la chambre de sa mère, elle était endormie mais se réveilla en sursaut au bout de quelques minutes. Sa main squelettique tâtonna dans sa direction. Sa langue claqua contre son palais déshydraté.

– Quinn ?

– Oui.

– C'est bien toi ? Ici, dans cette chambre ? J'ai cru avoir rêvé de toi… enfin, j'ai vraiment rêvé de toi ! Souvent. Qu'est-ce que tu fais ici ?

Son incrédulité était touchante.

– J'ai dit aux gens toutes sortes de choses. Des histoires. On a cru que tu étais mort. J'ai cru que tu étais mort. Ce fut si soudain, si rapide. Je t'ai pleuré, Quinn. J'ai pleuré sur toi et ta sœur.

Sa main tripota maladroitement une liasse de documents à son côté, pour finir par tomber sur ce qu'elle cherchait – un bout de papier froissé qu'elle lui passa.

– C'est quoi ?

– Le télégramme qu'ils avaient envoyé. L'armée.

Quinn le prit avec dégoût. Cette hâte à lui montrer l'annonce de son décès était déconcertante. Il hésita avant de le déplier. Les mots étaient décolorés. Il les survola du regard, notant un *Regret*, puis *Sergent Walker. Mort sans souffrir. Pozières. Bravoure. Sa patrie.* Il replia le document et le lui rendit.

De nouveau, elle le dévisagea, puis indiqua son propre visage d'un geste vague.

– Ta blessure… Tu as tellement changé… Je suis sûre que personne ne pourrait te reconnaître, à part moi…

– Toi aussi, tu as changé…

Elle acquiesça et but un peu d'eau, lui rendit le verre.

– C'est qu'il s'est passé tant de choses… Et puis, je crois que je suis mourante. Le docteur ne veut rien dire et ton père croit qu'on va découvrir un remède miracle bientôt – tu le connais… Il épluche le journal et parle à tous ceux qui, d'après lui, pourraient avoir des informations…

Elle s'interrompit pour reprendre son souffle.

– J'ai perdu presque tout le monde, tu sais. Tous mes enfants. Sarah, bien sûr. Toi. Ton frère a déménagé dans le Queensland. Ce cher Robert vient de temps en temps, mais il a beaucoup de travail. Tant de braves gens sont morts pendant la guerre. Ton père, on ne peut plus le tenir… Il a pris l'habitude de boire et de se bagarrer chez Sully. Il te tuera pour de bon, si jamais il te trouve. Il me l'a dit une centaine de fois. Robert aussi. Ils n'en démordront pas. Ce n'est plus l'homme que j'ai épousé… Il a toujours eu sa façon de penser, mais depuis que c'est arrivé il n'est plus jamais allé à l'église et moi je suis ici, couchée, mourante. On dit la « grippe », mais c'est sûrement plus grave. Bien pire. Certains parlent de la peste. Au vingtième siècle, tu te rends compte ?

Il régnait dans la pièce une chaleur animale, oppressante. Quinn s'approcha des rideaux qu'il écarta légèrement afin de regarder à l'extérieur. Le jour filtra dans la pièce sombre.

– Tu te souviens que Apollon avait infligé la peste aux Grecs pour les punir d'avoir enlevé Chryséis ? Tu te souviens que je t'avais lu cela, Quinn ? L'*Iliade* ? Quand tu étais petit ? Ces histoires que je t'ai lues, à toi et… aux autres ?

Elle se passa la langue sur les lèvres.

– À la mort de mes parents, j'ai hérité de la bibliothèque de mon père, comme tu sais. C'était un gros lecteur, qui recevait de Londres des livres, des revues et autres. C'était juste après mon mariage ; Robert était parti en Angleterre. Ton père et moi, on est allés vivre à Bathurst, où je me suis affreusement ennuyée. Je prenais des livres au hasard dans l'une des caisses, et ensuite, quand je revenais à moi, la nuit était tombée et mon chagrin avait été dissipé pendant ces quelques heures…

Elle prit une autre gorgée d'eau.

– *Les Mille et Une Nuits*, dit-elle avec délectation. Aujourd'hui encore, je songe à la Ville de Cuivre, à la reine morte aux yeux vif-argent. Aux tapis volants. Ces contes, je te les lisais. C'était un vieux livre, avec des illustrations bleu et or. Mon Dieu ! Plein de génies, d'hommes barbus et d'aigles géants. Il y avait une montagne de fer aimanté qui aspirait les clous de la coque d'un navire. Ces récits, c'était mieux que des rêves. Cela me transportait, Quinn. Même la Bible n'y parvenait pas. Ton père était inquiet, et son inquiétude était encore aggravée par la légende idiote comme quoi qui parviendrait au bout de ces histoires périrait. Lire autant pour une femme, ce n'était pas naturel, pensait-il. Pour moi, ces caisses de livres m'ont – peut-être pas tout à fait – sauvé la vie, mais tout comme… Un bon conte est un remède, à mon avis.

Elle s'était animée, mais à présent fermait les yeux, comme si ce discours l'avait épuisée. Quinn passa le doigt sur le bourrelet de sa cicatrice. Le lit grinça sous son poids, quand il changea de position.

– Et toi, tu te rappelles tout ce que je t'ai raconté ?

S'il s'en souvenait ! Le talent de conteuse de sa mère était réputé. Les nuits d'hiver, tous les cinq se rassemblaient devant le feu – Nathaniel tirant sur sa pipe, William blotti, encerclant ses genoux de ses bras, Sarah s'appuyant contre l'épaule de Quinn – tandis que la voix de leur mère, tantôt grave ou aiguë, s'adaptait à chaque personnage, tournoyait dans les ténèbres. Elle leur parlait de Tom, le Petit Ramoneur, de sa rencontre avec les enfants de la rivière, de Peter Lapin, des voyages de Gulliver au pays des sauvages et redoutables Yahoos. Elle n'avait même pas besoin de livre. Invitée à créer une histoire de toutes pièces, elle était capable de fabriquer un conte à partir de tout ce qu'elle avait entendu dire au fil des ans, ajoutant quelques inventions de son cru : une race de lutins vivant dans le jardin, sur de vieilles feuilles de thé, un insecte à face de chien. Elle aurait pu rendre palpitante la lecture d'un annuaire.

– Comme mes enfants me manquent…, poursuivit-elle. C'est comme un gouffre en moi. Je m'y suis aventurée souvent pour te retrouver, mais c'était toujours vide. J'aimerais te poser des questions, mais je ne suis pas certaine de vouloir en savoir plus. J'ai refusé d'en apprendre trop, ce jour-là. C'était assez que ce soit arrivé. Plus qu'assez. Souvent je m'installais dans votre ancienne chambre, celle que vous partagiez, pendant toute une journée. Ton frère ne voulait plus y dormir, et d'ailleurs il est parti peu après, de toute façon. Il couchait dans l'entrée, ou sur la véranda… jusqu'au jour où il est parti. Vous, vous êtes partis, mais la chambre est toujours là…

« Tu te rappelles cette petite boîte à cigares où Sarah mettait tout ce qu'elle ramassait ? Ses porte-bonheur ? Il y avait une plume là-dedans, et j'ai traversé une phase où je la collais contre mon front tout en priant, – quelle folie, non… ? Par la suite, je me suis convaincue que si je faisais cela, tout en prononçant un fragment d'un poème de Byron, elle me reviendrait, ou j'irais à elle. Qu'on se retrouverait tous, car ce n'était qu'après ce jour-là que tout était allé de travers. Sa… sa mort était la cause de tout.

De nouveau, elle s'interrompit.

– J'ai fait pareil avec ta collection de cartes, les soldats de plomb de William. C'était des incantations, je suppose. Des blasphèmes, sans doute. Ton père n'aime pas que j'aille dans cette chambre. Il dit que je pleurniche. Il a peut-être raison mais aujourd'hui il me laisse toute seule. Jamais il n'a parlé de sa mort. Soi-disant pour ne pas contaminer les autres avec notre douleur. *Contaminer*, quelle expression ! C'est une chose de mourir, mais de cette façon-là… Assassinée. Personne ne savait quoi me dire. Même le pasteur ! Et aujourd'hui cette guerre, la peste ! Personne ne sait plus quoi dire à son prochain…

Sa voix resta en suspens. Bientôt elle s'endormit. Il la contempla longuement. Elle cherchait sa respiration, se contractait convulsivement, murmurait des mots indistincts. Pendant qu'il lui rafraîchissait la figure et le cou avec un linge mouillé, une idée s'empara de lui pour acquérir le statut d'une conviction. Prendre soin de sa mère, lui permettre de trouver une paix relative, enfin, la persuader qu'aucun de ses enfants n'était un assassin : c'était peut-être ça, son devoir ? Quelque peu rasséréné, il baisa sa joue brûlante et retourna au campement.

7

Cette nuit-là, Quinn se nicha dans le creux formé par ses épaules dans les aiguilles de pin et contempla la nuit. La lune apparut. La forêt s'exprimait dans sa langue secrète, et s'il tournait la tête pour coller son oreille contre le sol, il s'imaginait entendre les millions de morts remuer dans l'anonymat de leurs fosses communes, à l'autre bout du monde. Sarah avait toujours prétendu comprendre le langage des bêtes et des arbres, les grognements des opossums et des wallabies. Mais les morts... ?

L'année précédente, à l'occasion d'une permission à Londres, il s'était rendu chez une célèbre médium avec son ami, Fletcher Wakefield, dont la fiancée était morte de la tuberculose à Adelaide. Fletcher souriait toujours – c'était l'un de ces types invariablement décrits comme exubérants. Dans le dortoir à Abbey Wood, il parlait de feue sa promise et de leur projet de mariage. Bien que suivant des tours et détours, cette conversation finissait toujours de la même façon, Fletcher regrettant de n'avoir pas eu l'opportunité de dire à Doris combien il l'aimait et combien elle était sans doute – sans aucun doute possible – la plus belle des femmes. Nettement trop bien pour moi, concluait-il en général sur le mode de l'autodérision.

Quinn n'avait guère envie d'y aller, mais Fletcher, qui avait assisté à de nombreuses séances, lui assura que les défunts ne s'adressaient qu'à ceux qui avaient l'esprit ouvert et posaient au médium des questions précises. Par définition, ils ne se souciaient que de ceux qui s'intéressaient à eux. C'était peut-être un genre de consolation.

À cette époque, Londres était plein d'endroits de ce style et il ne manquait pas de gens pour souhaiter communiquer avec les chers disparus. Des femmes conjuraient des esprits qui frappaient sous les tables, des hommes photographiaient des faces fantomatiques flottant au-dessus des épaules des participants dans des pièces tendues de velours, un médium parlait avec la voix d'un Indien mort depuis longtemps. Quinn avait même entendu parler d'une jeune femme qui, de ses oreilles, pouvait tirer la substance gélatineuse dont les fantômes étaient faits. Pour lui, le monde semblait soudain si peuplé d'individus en deuil qu'en marchant dans Londres il se sentait côtoyer non seulement les vivants, mais aussi leur collective nostalgie pour les êtres chers, victimes de la Grande Guerre.

Avec huit autres personnes, Fletcher et lui entrèrent dans le salon lambrissé de la maison d'une certaine Mme Alice Cranshaw dont les trois jumelles avaient, disait-on, le don d'entendre les voix des trépassés et de transmettre leurs messages aux vivants.

Ce salon était sombre et il y faisait chaud. Mme Cranshaw était une corpulente quinquagénaire qui maniait un fume-cigarette tout en posant un regard impérieux sur le petit groupe. Fletcher saluant une connaissance, Quinn se retrouva tout seul. Il craignait d'attirer les regards à cause de son uniforme et s'efforçait de passer inaperçu quand la maîtresse de maison lui fit signe et s'approcha de lui au point de lui faire sentir son haleine moite.

– Pour qui donc êtes-vous venu, mon cher ?

– Pardon ?

Elle eut un curieux mouvement de lèvres, comme si elle mâchait sa propre langue, avant d'y glisser le fume-cigarette reluisant. Ses cheveux avaient l'air d'une composition en fil de fer disposée au sommet de sa tête. Quinn chercha son ami du regard, mais il était toujours en train de discuter. Mme Cranshaw lui agrippa le bras. Elle avait un peu de salive au coin des lèvres.

– Ne vous inquiétez pas, je ne vous mangerai pas ! dit-elle, comme si telle était justement son intention, tout en mordillant le fume-cigarette dont il venait de s'apercevoir qu'il était en jade.

Il ne demandait qu'à libérer son bras, mais c'eût été impoli. Elle le terrorisait, chose dont elle était à l'évidence consciente et qui devait l'enchanter.

– Personne, madame, dit-il enfin, en désignant Fletcher. J'accompagne un ami. Il souhaite, euh… parler avec feue sa fiancée.

Mme Cranshaw fronça les sourcils.

– Oh, allons donc ! Nous avons tous perdu un proche

en cette triste époque. Un ami ? Un frère ? Quelqu'un à la guerre ?

De nouveau, Quinn lança un coup d'œil à Fletcher.

– Avez-vous peur de la mort ? demanda Mme Cranshaw, avec une nuance de moquerie.

Quinn réfléchit.

– Non.

– Vous ne croyez pas à ce que nous faisons ici, n'est-ce pas ?

– Il ne m'appartient pas de le dire.

– Très diplomatique, mais vous pouvez être franc : ça m'est égal. Vous ne croyez pas au monde des esprits ?

– Pas du tout, madame.

– Mais vous semblez mal à l'aise. Avez-vous peur, mon petit ?

– Je n'ai pas envie d'entendre ce que les morts pourraient avoir à dire. De plus, pourquoi reviendraient-ils ?

Mme Cranshaw soupira.

– Les esprits sont parfois – comment dire ? – tourmentés. Agités. La mort n'est pas toujours la fin de tout. Il y a souvent des affaires en cours, surtout pour ceux qui ont connu une mort violente et subite – à la guerre par exemple. Parfois les morts se retrouvent bloqués dans un affreux monde intermédiaire jusqu'à ce qu'ils puissent dire quelque chose à ceux qu'ils ont laissés derrière eux. En fait, ce sont les vivants qui sont parfois pris au piège, tant qu'ils ignorent ce que les morts ont à leur dire. Il est certaines choses qui ne peuvent rester inexprimées. Mais si vous ne croyez pas à cela, vous n'avez rien à craindre, pas vrai ?

Quinn s'aperçut qu'il méprisait cette femme – pire, qu'il la soupçonnait d'être un charlatan s'attaquant à des individus vulnérables. On disait qu'elle gardait ces jeunes filles – dont elle n'était sans doute pas la mère – contre leur volonté. Chacun savait que la Bible défendait de communiquer avec les morts. Il tenta de libérer son bras, avec ce résultat que la femme resserra son emprise.

– Vous savez qui était ici même, il y a quelques semaines ? Sir Arthur Conan Doyle. Demandez à la bonne, si vous voulez… Ou à Mme Beecroft – la dame au foulard blanc. Elle était là. Il voulait obtenir un mot de son fils ou son épouse. Ma petite Lizzie a pu l'aider. Comme il nous en a été reconnaissant ! Je m'étonne de ne pas le voir aujourd'hui, mais il doit être occupé. C'est un médecin, après tout. Un savant, vous savez…

Comme Quinn ne réagissait pas, Mme Cranshaw baissa la voix :

– Pensez ce que vous voulez, dit-elle d'une voix grinçante, en le regardant droit dans les yeux, mais ces braves gens sont dans la peine. Ils ont besoin d'avoir des nouvelles de leurs morts. De leurs frères et de leurs maris. De leur sœurs. Ils sont des millions, vous savez ! Des millions ! Leur chagrin s'en trouve adouci. De plus, c'est une contribution à l'effort de guerre ; il faut se souvenir des meurtriers si on veut pouvoir les juger. Si nous oublions ces sales Boches, nos garçons seront morts en vain, pas vrai ? Voyez cette dame là-bas, avec le châle clair par-dessus ses vêtements de deuil ? Vous la voyez ? C'est Mme Henry Dance. Elle a perdu trois fils.

Elle exhiba trois doigts noueux.

– Trois ! Vous avez vu comme elle vous observe, vous et votre ami qui rigole ?

Quinn fit non de la tête. En effet, c'était seulement maintenant qu'il remarquait cette femme.

Mme Cranshaw était curieusement triomphante.

– C'est qu'elle vous déteste, parce que vous êtes en vie alors que ses fils sont dans une fosse commune… en France, qui plus est ! Loin de leur patrie, dans la terre glaciale. Que lui diriez-vous ? Que dire à une femme pareille, hein ? Et à son mari ?

La femme en question était perchée sur un fauteuil vert ; ses doigts fins et nerveux tordaient une paire de gants noirs sur ses genoux, comme pour leur régler leur compte. Son époux se tenait à son côté et chacun d'eux avait l'air songeur et interloqué, comme s'ils s'étaient préparé si souvent à recevoir de mauvaises nouvelles qu'ils en avaient gardé la même expression tendue.

– Ils sont las de la compassion d'autrui, des aimables paroles et du bla-bla de la presse sur l'honneur, la bravoure et le sacrifice. Ils veulent un signe de leurs fils. Peut-on leur en vouloir ? De quel côté pourraient-ils se tourner ? L'Église ?

Sur ce, elle lui lâcha le bras, comme pour se débarrasser d'un enfant ingrat. Se sentant humilié, Quinn se préparait à partir, quand un silence chaleureux descendit sur l'assistance, au moment où les trois jeunes filles entraient à la queue leu leu, tête basse. Elles prirent place à une longue table sur laquelle se trouvaient des rouleaux de papier, un pour chacune. Elles se ressemblaient, à ceci près que deux d'entre elles étaient blondes tandis que la dernière, la plus jolie, avait les cheveux cuivrés. Une fois de plus il survola la pièce du regard, espérant s'en aller, mais la bonne avait fermé la porte, le bouclant dans ce salon.

Un faible craquement dans son dos. Il bondit sur ses pieds et s'empara gauchement de son revolver, se tourna en direction du bruit. C'était comme si quelqu'un était en train de marcher dans le noir, hors de la clarté des flammes. Il braqua et arma le revolver.

– Qui est là ? fit-il d'une voix sifflante. Montrez-vous !

Il pencha la tête pour donner à son oreille droite – la moins abîmée, semblait-il – une chance de déceler quelque chose, mais n'entendit rien de plus. Alors il resta là, à se contenter de respirer. Les éponges imbibées de ses maudites oreilles. De nouveau, il bougea sa tête de-ci de-là, s'efforçant d'entendre. Il ne percevait que le crépitement des flammes.

Puis, à sa droite, dans la lueur dansante, il distingua quelque chose au niveau d'un buisson. À quelques mètres, une forme vague. À force de regarder, il finit par distinguer un reflet argenté ou cuivré. Il se figea. Un bout de tissu. Un bout de tissu déchiré. Puis un bouton. Deux boutons. Un uniforme d'homme – anglais, selon toute apparence. Il cligna des yeux et poursuivit son inspection. Une main, non rattachée à un membre ; le poignet n'était qu'un sanglant entrelacs de veines et de chairs noirci, là où il avait été arraché de l'avant-bras. Au sol, une botte terreuse.

Puis, le bruit sec d'un bâton cassé derrière lui. Sans réfléchir, il se retourna brusquement et fit feu, toujours aussi étonné par le recul de l'arme. La fumée bleue resta suspendue dans l'air nocturne. Un relent de poudre. Il resta immobile. Rien.

Au bout de quelques minutes, comme il allait se rasseoir, convaincu d'avoir tout imaginé, un bruit de pas lourds dans les taillis à une certaine distance, s'estompant de plus en plus, battant en retraite le long de la crête. Il pesta. L'assassin de sa sœur pouvait-il être déjà prévenu de son retour et chercher à le tuer ? Son pouls s'emballa. Il vérifia l'état de son revolver. Il attendit. Il pria.

DEUXIÈME PARTIE

LA PETITE FILLE

8

Le lendemain matin, Quinn ouvrit les yeux avant l'aube, émergeant d'un rêve embrouillé. La lumière était rare, comme aquatique. La température, fraîche. Il était allongé sur le côté, sous son trench-coat, serrant les mains entre ses cuisses pour se réchauffer.

Le feu n'était désormais plus qu'un tas de braises fumantes et grises. Ahuri, il regarda autour de lui. Là, de l'autre côté du feu, était accroupie une fillette blonde et élancée, qui devait avoir dix ou onze ans, et qui l'observait avec un intérêt non dissimulé. Quinn se redressa et s'apprêta à sortir son revolver, mais la petite ne bougea pas. Elle semblait seule.

– Qui es-tu ? dit-il.

Elle renifla et passa la main sous son nez. Sa robe en haillons, sans doute bleue à l'origine, était à présent si décolorée qu'elle avait à présent la teinte d'une ecchymose vieille d'une semaine. Un gilet rose, pas de chaussures, des orteils comme des coquillages gros et courts au bout des pieds. Elle avait un menton pointu, des petites dents plantées comme des clous dans ses gencives.

Quinn avait la bouche pâteuse. Un peu de terre se décollait de son visage. Dormir sur ce sol inégal avait rendu son cou douloureux. Il se passa la main dans les cheveux.

– Qui es-tu ? Tu es là depuis longtemps ? Tu m'espionnes ? Tu es seule ?

La fillette ne sembla pas avoir réalisé qu'il avait ouvert la bouche. Ses yeux étaient non seulement du brun des papillons de nuit, mais de plus – même ouverts, comme à présent – ils cillaient délicatement, presque sur le point de s'envoler. Elle contempla les arbres aux alentours comme pour écouter ce qu'ils disaient, tout en se grattant négligemment le pied. Peut-être n'avait-elle pas toute sa raison ? Encore une simple d'esprit, comme Edward Fitch…

Ni l'un ni l'autre ne parlait. Quinn se sentait mal à l'aise. Il s'épousseta et entreprit de ranimer le feu, jetant des poignées de feuilles mortes et soufflant sur les braises fumantes. Il avait faim, mais rien de nouveau : son ventre criait famine depuis des années.

Sa visiteuse le considérait de ses yeux sombres.

– Qu'est-ce que vous faites ici ? dit-elle enfin.

– Je pourrais te retourner la question…

Elle fit la moue et médita cette remarque.

– Faites-le…

– Quoi ?

– Posez-moi la question. Qu'est-ce que je fais ici…

– Ce serait stupide.

– Pas si la réponse vous intéresse…

Il cassa une branche sur son genou et en jeta les morceaux dans le feu.

– À vrai dire, je m'en moque…, dit-il.

Les feuilles avaient commencé à brûler et à présent les morceaux de bois pétillaient et rougeoyaient. Contrôler même de façon relative un élément aussi dangereux lui procurait un plaisir indicible. Il souffla encore et jeta une autre poignée de fougères. La petite l'observait comme quelqu'un qui connaît une meilleure façon de s'y prendre mais se retient de parler. Le feu prit. Il se remit sur ses talons et décida de lui faire ce plaisir.

– Bon, d'accord. Que fais-tu toute seule par ici, et de si bonne heure ?

– Je ne peux pas vous le dire.

– Pourquoi ?

– C'est un secret.

Quinn sourit malgré lui, puis mit la main devant sa bouche. Même si la cicatrice ne touchait que le côté gauche de son visage, l'ensemble souffrait d'une raideur certaine quand il affichait telle ou telle expression. Son sourire, par exemple, était à présent de travers et quelque peu sinistre, comme si une moitié de lui-même était amusée tandis que l'autre restait imperméable à la même blague. Il se leva et enfila son trench-coat.

– Qu'est-ce qui vous est arrivé… ?

Il rougit et donna un coup de pied dans le pourtour du feu.

– La guerre. J'ai été blessé.

– C'est ici que je vis. Dans ces collines.

Quinn en doutait, mais il acquiesça en guise de réponse. Il avait sillonné ces parages, enfant, et savait qu'il n'y avait pas grand-chose ici, à part des rochers et des taillis, la foule sombre et désordonnée des arbres. Plus personne ne vivait sur ces hauteurs, à présent que les mineurs étaient partis.

La petite s'humecta les lèvres.

– J'ai une maison. Une vraie, bien cachée – personne ne sait où.

Elle parut particulièrement ravie d'avoir annoncé cela et n'ajouta rien de plus pendant quelques minutes, avant de se relever pour s'étirer et bâiller. Maintenant qu'elle était debout, Quinn pouvait voir combien elle était maigre – tout en bras et en jambes.

– Mais vous n'avez pas répondu à ma question.

– Laquelle ?

– Qu'est-ce que vous faites ici, puisque votre maison est en bas ?

– Comment le sais-tu ?

Elle eut un sourire pincé, comme si ce qu'elle s'apprêtait à lui révéler la chagrinait.

– Je sais toutes sortes de choses…

Quinn avait des soupçons, mais la gamine semblait sans malice. Sans doute avait-elle entendu des rumeurs sur son compte venant de sa propre famille ou des gens du village. Les villageois cancanaient quand ils n'avaient rien de mieux à faire et inventaient des choses pour masquer leur ignorance, tout comme jadis les cartographes conjecturaient l'existence de continents entiers. De plus, les enfants étaient les plus aptes à ces fantasmes, leur compréhension du monde étant si limitée…

– Tu es toute seule ? demanda-t-il.

Elle l'ignora et retira une brindille emmêlée dans ses cheveux.

– On va conclure un marché : je te dis pourquoi je suis ici, si tu me dis qui t'accompagne…

Cela piqua son attention. Elle le considéra.

– Vous d'abord… !

– Je suis venu voir quelqu'un. Quelqu'un que je dois aider.

– Un ami ?

– Une parente.

– Qui ?

– … Je ne peux pas te le dire.

– Ce n'est pas une réponse.

– Maintenant, à toi : tu vis avec quelqu'un ?

– Non.

Quinn se le demandait. Avait-elle été aussi vague dans ses réponses que lui-même ? À la lueur du jour, elle semblait dépourvue de substance, et il se rappela des contes de fées ayant pour thème des guerres entre géants et hommes, comment le sang encore tiède des méchants qui étaient morts était donné aux quelques lutins qui restaient, sorte qu'ils puissent prendre forme humaine. En Europe, après la guerre, des orphelins traversaient les villages en volant du pain et du bois de chauffage et en maudissant les personnes âgées. Même si c'était sans doute des histoires à dormir debout, mieux valait tenir cette progéniture mythologique à distance.

– Où sont tes parents ? dit-il.

Elle détourna les yeux, marmonnant quelque chose.

– Quoi ?

– Mon père est parti il y a longtemps.

– … pour aller à la guerre ?

– Non. C'était avant ma naissance. Maman est morte de la peste. Il y a la peste, vous savez…

Quinn tiqua et se sermonna intérieurement. Ces temps-ci, c'était le genre de question à ne pas poser, si on ne voulait pas s'attirer ce genre de réponse.

– Oh, je suis désolé. Tu n'as pas de frère, de sœur ? Qui s'occupe de toi, alors… ?

Elle se gratta le bras.

– Je suis assez grande pour me prendre en charge. Je vous l'ai dit : j'ai une maison. Là-bas…

Elle désigna un point dans son dos.

C'était un être à la fois frêle et plein d'assurance, et bien qu'intimidé par elle, il ressentait l'envie curieuse de sympathiser.

– Quel âge as-tu ?

– Douze ans, je crois.

– Tu crois ?

– Et vous, quel âge avez-vous ?

– Je croyais que tu savais tout ?

Elle tira sur la manche de son gilet. Quinn regretta son insolence. Il eut une idée.

– Tu ne serais pas à la recherche d'un mouton ? D'un

agneau ? J'en ai vu un hier, sur l'autre versant de la colline. On pourrait aller là-bas. Je te montrerai l'endroit où je l'ai vu.

L'enfant fit non de la tête.

– Il n'est pas à moi. Je vous l'ai dit – je vis là-haut. Je ne suis pas une bergère.

D'une voix plus douce, à peine audible, elle ajouta :

– Mais ce n'était pas hier. C'était il y a plusieurs jours.

Il mit un moment à comprendre.

– Tu m'as espionné ?

Elle répondit quelque chose qu'il ne comprit pas.

– Quoi ? Qu'est-ce que tu as dit ? La guerre m'a rendu à moitié sourd. Parle plus fort…

– J'ai dit : « Il » m'a parlé de vous.

Quinn eut un petit rire. Son instinct ne l'avait pas trompé : cette fillette était une attardée mentale.

– C'est ça. L'agneau t'a parlé…

– Il a dit que vous l'aviez pris dans vos bras.

– Ne sois pas ridicule ! Tu as dû m'espionner…

– Non ! C'est lui qui me l'a dit.

Il en doutait fort.

– Tu sais parler aux moutons ?

Elle fit la moue.

– Non. Mais je les comprends…

– Et comment fais-tu donc… ?

– Je les écoute. C'est tout. Je vous l'ai déjà dit. Je sais beaucoup de choses. Je sais pour le vent, les étoiles, et ce qui arrive dans les rivières.

Elle haussa mollement les épaules.

– Dans ce cas, qu'est-ce que l'agneau t'a dit d'autre… ?

Elle repoussa une mèche de son visage et retira du feu une brindille embrasée, l'agita pour l'éteindre, puis regarda la volute de fumée s'élever de l'extrémité rougeoyante. Le bout de sa langue pointait entre ses lèvres de façon provocatrice.

– Il m'a répété ce que vous lui aviez dit…

Quinn exhuma sa tabatière et entreprit de se rouler une cigarette. Ses doigts tremblaient. Le tabac était aussi friable que de la terre et ne cessait de tomber de la feuille de fin papier.

– Et que vous avez *pleuré*…

Quinn rougit de nouveau et porta une attention superflue à sa cigarette. Cette petite le déstabilisait. Tout près, une pie se mit à jaser.

– Vous ne me croyez pas, hein… ? insista-t-elle.

Quinn planta sa cigarette entre ses lèvres et l'alluma avec une brindille tirée du feu. Bonne question ; il ne savait plus que croire. Tout semblait également possible – et impossible. La fumée lui irrita la gorge. Il toussa.

La fillette s'écarta pour faire quelques pas, remuant des feuilles mortes de ses pieds nus, se penchant ici ou là pour examiner des choses repérées par terre. Quinn plongea sa main dans sa poche et caressa le revolver. Si nécessaire, il pourrait s'en servir.

À présent, le soleil s'était levé au-dessus de l'horizon, répandant sa chaleur. La journée avait commencé. Il s'interrogea sur sa mère et son père, là-bas dans la vallée. Les habitants de Flint devaient s'apprêter à vaquer à leurs occupations, après un petit déjeuner composé de thé et d'œufs durs.

La petite fille revenait vers lui.

– Vous allez me tirer dessus ?

Elle était culottée, en tout cas ! Quinn ôta sa main de sa poche.

– Ne sois pas ridicule… C'était toi, la nuit dernière, dans les buissons ? Tu m'épiais ?

Sans sourire, elle fit semblant de tenir une arme, pointa l'index vers lui et fit saillir son pouce sale.

– *Qui est là ? Montrez-vous !*

Ils restèrent là, figés, pendant quelques secondes, après quoi elle éclata de rire et circula d'un pas nonchalant comme si elle avait été chez elle. Quinn tira sur sa cigarette. Il jeta le mégot dans le feu et sentit – telle des vagues se formant au large – grandir une quinte de toux qui, comme de bien entendu, débuta par une série de hoquets avant de culminer dans de pénibles crachats.

La gamine recula.

– Vous avez la peste ?

Il secoua la tête et s'assit sur un rondin ; puis il se plia en deux, serrant son ventre et gémissant de douleur. Cela se calma quelques minutes plus tard, le laissant en nage et les boyaux palpitants. Quand il redevint conscient de son environnement, elle était auprès de lui, une main sur son épaule. Résistant à l'envie de la repousser, il cracha plutôt dans le feu et s'essuya la bouche et les yeux.

– Vous avez été gazé ?

Il hocha la tête.

– Où ?

– En France.

– Tom Smith aussi.

De nouveau, elle s'accroupit et jeta des brindilles, une par une, dans les flammes.

– Vous n'auriez pas dû tirer sur moi, cette nuit. On entend les détonations dans toute la vallée…

Il ne comprit pas ce qu'elle ajouta ensuite.

– Quoi ?

– J'ai dit : parfois, des gens viennent se cacher par ici…

– Quels gens ?

Elle haussa les épaules.

– Des gens qui fuient la peste *nu*bonique…

– Bubonique.

– Quoi ?

– C'est la peste bubonique. Pas nubonique. D'ailleurs, il ne s'agit pas de ça, mais de la grippe espagnole…

La précision la laissa indifférente.

– Vagabonds. Criminels. Parfois des types qui fuient la conscription. À Flint, ils ont peur de tout, aujourd'hui. Parfois, ils tuent des types, ajouta-t-elle, après coup.

– Ils tuent des types… ? Qui fait cela ?

– M. Dalton a abattu un vagabond, il y a deux ans, alors qu'il était à la chasse. Il l'a enterré dans une ravine. Par la suite, des dingos l'ont déterré. J'en ai vu qui avait un morceau du corps dans sa gueule. Un bras, je crois.

Elle fit la grimace. Quinn tressaillit.

– Pourquoi ferait-il ça ?

Elle le considéra comme si elle avait affaire à un enfant attardé.

– Pour rigoler...

– Quelqu'un est... au courant ?

– Bien sûr que non !

– Comment le sais-tu, alors ?

– Je le sais, c'est tout. (Elle le regarda.) Il fait beaucoup de vilaines choses.

Malgré lui, Quinn frissonna. Il étudia la fillette longuement, s'efforçant de déterminer ce qu'elle pouvait réellement savoir.

– Que faisais-tu par ici, hier soir ?

– Je vous l'ai dit : je vis ici.

C'était sans aucun doute une fauteuse de trouble ; pourtant, il ne pouvait s'empêcher d'être intrigué.

– L'agneau, que t'a-t-il dit d'autre ?

Elle se releva et eut un grand sourire, contente d'avoir éveillé son intérêt. Puis il se rappela qu'elle n'était encore qu'une enfant, inventant des histoires. Il entreprit de ranger ses affaires, pressé de s'en aller, lui tourna le dos pour retirer le revolver de sa poche et le fourrer dans son paquetage.

– Pourquoi vous le dire, puisque vous ne me croyez pas ? répondit-elle en le contournant pour aller se planter devant lui.

Quinn ferma les yeux, espérant qu'elle aurait disparu quand il les rouvrirait. En France, Fletcher lui avait parlé d'un fantôme qui apparaissait dans les tranchées à la veille des batailles : un officier mal habillé et mélancolique qui demandait où étaient les lignes allemandes et se volatilisait une fois que le tir de barrage avait commencé. Mais quand il rouvrit les yeux, elle était encore là.

– Vous devrez tuer un lapin aujourd'hui, dit-elle.

– Ah oui ?

– Oui, si vous voulez manger.

Elle s'avança d'un pas.

– Je peux vous aider. Je suis douée. Poser des collets. Mon frère m'a appris…

– Alors, tu as un frère ?

Elle hésita, comme prise en flagrant délit de mensonge.

– Oui. Il est pilote dans l'armée de l'air. Mais il va bientôt revenir…

À ce moment-là, Quinn avait rassemblé ses affaires.

– Bien. Tu auras donc quelqu'un pour prendre soin de toi. Quant à moi, j'y vais. Des trucs à faire. Salut… !

– Vous allez voir votre famille ?

Il se demanda quoi lui dire.

– Je vais voir ma mère. Elle est malade. Au revoir et bonne chance !

La petite se mit à glousser puis, d'une voix haut perchée, incapable de contenir son hilarité, elle déclara :

– *Là, là, je ne te ferai aucun mal.* C'est ce que vous avez dit à l'agneau. *Je te protégerai.*

Quinn s'arrêta. Nul ne pouvait avoir entendu ce qu'il avait dit au petit animal. La fillette se tenait désormais à quelques pas de lui, hors de sa portée. Il envisagea de l'attraper mais, comme si elle avait lu dans ses pensées, elle fit un pas en arrière et pencha la tête de côté pour écouter.

Quinn l'observa. Lui aussi, il tendit l'oreille. Là, vaguement, il perçut des bruits de pas dans les feuilles mortes. Quelqu'un patrouillait dans le sous-bois, en contrebas.

La petite parut épouvantée.

– C'est M. Dalton !

Le sang de Quinn se figea. Son oncle. Il se pencha pour ramasser son sac, mais quand il se retourna il n'y avait plus aucune trace de son interlocutrice. Elle s'était évanouie dans la nature. Il songea à l'appeler, mais se ravisa, souleva son fardeau et s'enfonça dans les fourrés.

Il sauta, bondit, courut, glissa sur des pierres et des rochers, réussissant par miracle à garder l'équilibre. Derrière lui, sur la crête, un homme beugla. Son oncle avait dû découvrir le feu de bois. Il se laissa glisser sur les fesses, le long d'une pente terreuse. Des cacatoès s'envolèrent de leur perchoir et s'élevèrent dans les airs en poussant des cris.

Ce n'était pas très pratique de courir avec un baluchon. Des branches s'accrochaient à son uniforme, des toiles d'araignées se prenaient à ses cheveux. Il parvint à un cours d'eau à sec, surmonté de branches basses, ponctué çà et là de flaques sombres. L'air était empli des stridulations des cigales, invisibles mais omniprésentes, se faisant connaître à ceux qui pouvaient entendre. Haletant, il se retourna pour regarder vers la crête où il aperçut son oncle – il s'avançait d'un pas maladroit à travers les arbres, à quelques centaines de mètres.

Quinn envisagea plusieurs possibilités. La pente sur l'autre rive était bien trop raide et envahie par la végétation. Robert allait sûrement l'attraper et le ramener de force à Flint, pour le remettre à son père qui rêvait de le pendre. Seule solution : longer la berge dans l'espoir d'atteindre un lieu sûr. Levant le bras pour se protéger le visage, il plongea sous un enchevêtrement de broussailles à sa gauche.

Le lit du cours d'eau à sec était inégal, plein de trous et jonché de branches mortes. Son souffle formait comme des mottes de plomb. Il se pencha pour ramper sous les branches les plus basses, la tête au ras du sol, et se retrouva face à ce qui ressemblait à un épais et luisant étron, mais qui était en fait un serpent brun, lové sur une pierre.

Quinn se tétanisa. Des filets de sueur dégoulinaient de son visage et son cou. Il se retint de respirer. Il sentait la chaleur émaner de cette pierre baignée de soleil – cette même chaleur qui avait dû attirer ce serpent. Un gros King Brown, sans doute un familier des lieux depuis des années. Ils se dévisagèrent pendant plusieurs secondes. Les serpents ne cillaient jamais, ne se trahissaient jamais, ils auraient pu tout aussi bien être creux.

Puis, voluptueusement, tel un bohémien assoupi émergeant de sa sieste, il déroula ses anneaux. Sa langue bleu-gris frétilla comme pour prendre la température, procédant à ses calculs reptiliens. Quinn savait qu'un geste brusque déclencherait l'attaque. Son cœur cognait et sa peau le démangeait sous l'uniforme. Le serpent se mit à s'aplatir, prêt à agir. Tout autour de Quinn, le monde se retira. Cette brutale sensation d'irréalité lui rappela cette fraction de seconde, juste avant que l'obus ne tombe à côté de lui, à Pozières. Cette certitude mêlée d'incertitude.

Il chercha son revolver dans son paquetage. Il allait abattre ce King Brown, dût-il indiquer par là même sa position. Bien obligé. Ensuite, courir. Il allait l'abattre et courir. Les yeux sur le serpent, il fourragea doucement dans son sac. Rien. Le revolver avait disparu. Il avait dû tomber dans sa fuite. Merde ! *Merde !* Le serpent continuait à se déplier, et lui, il reculait lentement, mais sa progression hésitante fut barrée par une branche qui se prit à l'épaule de son uniforme. Il se sentit défaillir, marmonna une prière.

C'est alors qu'une main fondit sur le serpent et l'attrapa. La fillette se dressa devant lui, le reptile gigotant entre ses mains. Il crachait, se tortillait et enroulait ses anneaux autour de son avant-bras. Grimaçant sous l'effort, elle le détacha de son bras, passa devant Quinn et – répétant son geste plusieurs fois avant de se décider – jeta le reptile dans la ravine, en direction de l'ancien camp de Quinn. Son visage avait rougi sous l'effet de la peur et de l'excitation quand elle se tourna vers lui, comme si cette mésaventure était une bonne blague.

– Ça devrait le dégoûter ! dit-elle en riant.

Stupéfait, Quinn passa la main sur sa lèvre abîmée. Sa bouche était sèche et son cerveau bourdonnait à cause de la chaleur et de la fatigue, comme de concert avec les mouches et les cigales.

La fillette se mit à escalader des rochers, s'étant

faufilée par un étroit passage dans les taillis qu'il n'avait pas remarqué. Elle s'arrêta pour s'adresser à lui.

– Vous devriez venir avec moi…

Il entendit Robert Dalton progresser dans la ravine à sec et s'empressa de la suivre.

9

Bientôt, les bruits de la traque s'estompèrent. Son oncle avait dû tomber sur le serpent et battre en retraite. À cette idée, Quinn sourit. Il suivait la gamine avec difficulté, escaladant des pentes raides à travers des tapis de feuilles mortes dans lesquels on s'enfonçait parfois jusqu'au genou. De temps en temps, il la perdait de vue, puis elle se matérialisait tout près, mâchonnant une brindille ou arrachant l'écorce d'un arbre, l'encourageant calmement à se presser.

Après l'Europe et son automne perpétuel, rendu encore plus pénible par la poussière moite et froide de la guerre, l'air sec de la Nouvelle-Galles du Sud lui brûlait les poumons. Il était forcé de s'arrêter souvent pour tousser et reprendre son souffle. La fillette grognait sous l'effort, retroussait sa jupe sale. Ils poursuivirent leur chemin.

Jadis, Quinn avait connu chaque ravine, chaque colline de ces parages, mais ces pistes-là semblaient appartenir à une tout autre région. Il tenta de distinguer un arbre ou un quelconque point de repère naturel, mais il n'y avait rien de tel et il était trop las et trop effrayé pour penser clairement. Le paysage n'offrait rien d'admirable – juste des légions dépenaillées d'arbres avec leur écorce qui pelait, leurs branches bizarrement tordues. Au-dessus de sa tête, des cacatoès poussaient leurs cris.

Ils continuèrent ainsi pendant plus d'une heure, avant de s'arrêter. La cabane où on l'avait mené était si complètement rongée par le lierre, les plantes grimpantes et les arbres, qu'il mit un moment à comprendre.

– Bon sang, où est-on ? dit-il, en nage et hors d'haleine.

À travers la végétation, on voyait bien que c'était une ruine. La fillette lui arracha son sac, passa le seuil croulant et pénétra à l'intérieur. Quinn se courba en deux, les mains sur ses genoux. Au bout de quelques minutes, il la suivit. C'était la seule chose à faire.

Malgré le temps ensoleillé, la cabane était sombre et oppressante, percée çà et là par des rais de lumière. Il y avait une cuisine et une seule autre pièce. Des branches squelettiques frottaient énergiquement les murs. De la poussière s'était accumulée le long des plinthes et sur les quelques objets éparpillés. Il y avait des bouteilles et des bocaux vides sur une étagère crasseuse, des boîtes de conserve mises au rebut, un tas de briques et de gravats dans un coin, et cette odeur inimitable de déjections animales. Une illustration jaunie, arrachée à une revue ou un calendrier, était punaisée au mur. Épluchures de pommes, tas d'os de poulet et autres déchets alimentaires jonchaient le sol. Quinn avait vu des choses curieuses à l'étranger, mais cette maison lui rappela que le monde était en effet plein d'endroits bizarres et fantastiques. De toute évidence, elle vivait en effet seule ici.

Il ôta son trench-coat et s'appuya au chambranle de la porte. Une mouche vola devant ses yeux. Il déboutonna sa tunique malpropre et fut envahi par des douleurs fulgurantes. Comme s'il avait avalé du verre pilé. Il se plia en deux et s'écroula par terre en gémissant. La fillette disparut pour revenir quelques instants plus tard avec une chope en fer-blanc, qu'elle lui présenta.

Quinn s'en empara. L'eau avait un goût de moisi mais soulagea sa gorge irritée. Il la remercia, cette petite qui était parfois puérile et à d'autres moments prématurément vieillie. La sueur perlant sur sa lèvre supérieure, elle l'essuya du revers de la main.

Se sentant mieux, Quinn se releva péniblement et défit les derniers boutons de sa tunique. Elle lui expliqua qu'il pourrait dormir dans la cuisine, qu'il pourrait se faire un lit avec son trench-coat, ajouta qu'on ne les retrouverait pas car personne ne venait jamais par ici. Et quand bien même, on ne remarquerait jamais cette cabane.

– C'est secret, dit-elle.

Quinn secoua la tête.

– Je ne peux pas rester. Ou alors, seulement cette nuit…

– Comment ça ? Pourquoi ?

– C'est impossible.

La fillette marmonna quelque chose.

– Quoi… ?

– J'ai dit : *Vous allez où ?*

Il avait du mal à réfléchir.

– Je ne sais pas. Je camperai ; je trouverai une chambre quelque part.

Cela la fit rire.

– Quoi ? Vous ne pouvez pas retourner à Flint. Ni camper, parce que M. Dalton vous retrouvera.

– Dans ce cas, je partirai. Je ne peux pas rester ici.

– Vous ne pouvez pas partir.

– Pourquoi ?

– À cause de la raison pour laquelle vous êtes venu. Et votre mère ?

Quinn hésita.

– Oui. Je ne dois pas trop m'éloigner d'elle. Elle est très malade. Comment fait-on pour revenir à Flint, d'ici ?

– Je vous montrerai un passage secret. Personne ne vous verra. Je vous y emmènerai demain.

– Pourquoi pas maintenant ?

– Trop dangereux, avec M. Dalton dans le coin…

Elle avait raison.

– On est où, ici ?

– Je ne sais pas. C'est vide depuis des années. Une cabane de chercheurs d'or, j'imagine…

– Pourquoi tu ne vas pas chez ton père ? Ou ailleurs, dans un endroit plus convenable ?

– Je vous l'ai dit : mon père est parti. Ma mère est morte. M. Dalton connaît mon ancienne adresse. Ici, c'est mieux, plus sûr. Il ne trouvera jamais.

Elle croisa les bras et s'appuya au mur qui menaçait ruine.

– Vous savez de quoi il est capable…

En effet, Quinn savait tout de Robert Dalton. Le plus jeune frère de sa mère n'était pas fait pour vivre dans une ville aussi petite et rustique que Flint. À ses yeux, les habitants étaient tous des imbéciles. Il avait du mal à supporter la chaleur et les mouches, parlait avec nostalgie de son ancienne vie dans sa chère Angleterre, une vie qu'il ne pouvait – pour des raisons mystérieuses – reprendre.

– Tu devrais garder tes distances avec lui…, dit-il.

– C'est bien ce que je fais !

Elle se tordit les doigts.

– Quand maman était en vie, à l'époque où Thomas était parti à la guerre, il venait chez nous. Pour nous aider, soi-disant, mais maman lui disait que ce n'était pas la peine, merci bien, *personne ne me prendra ma fille*. Elle le traitait de « Bon Samaritain ». Il venait très souvent. Moi, je me cachais…

– Ici ?

– Ou ailleurs. J'ai de très bonnes cachettes. Après la mort de maman, il est revenu, mais je me suis enfuie. Il a tenté de m'attraper. Pour m'emmener à Bathurst, dans un endroit tenu par des religieuses. Il a sillonné les collines pour me retrouver. Il n'y arrive pas tout seul, et comme Gracie, le traqueur, est en ce moment à la recherche d'un type qui a tué son épouse… Il en aura pour des semaines, paraît-il…

– Quand ta mère est-elle morte ?

Elle devint songeuse.

– Il y a quelques semaines. Au bout de cinq jours, seulement…

– Comment t'appelles-tu ?

– Sadie Fox, répondit-elle, mais sans conviction.

Elle écarta une mèche crasseuse de son visage.

– Et vous, c'est Quinn, n'est-ce pas ?

– Comment sais-tu mon nom ?

– Quinn Walker ! dit-elle avec plaisir. Tout le monde vous connaît.

– Comment ça ? J'ai été absent pendant des années.

– Je sais. Ils croient tous que vous êtes mort à la guerre.

Quinn songea au télégramme que sa mère lui avait montré. Il soupira et s'accroupit pour ôter les épines accrochées à son pantalon kaki.

– Vous savez quel surnom ils vous ont donné ?

Il lui jeta un coup d'œil.

– Qui ?

La gamine semblait fière de détenir cette information. De plaisir, elle se dandinait sur place.

– En ville. Les gens en ville. Le surnom qu'ils vous ont donné... ? Ils parlent encore de ce que vous avez fait. Je les ai entendus.

Quinn arpenta la petite pièce, arrachant des lambeaux d'écorce du mur et enfonçant des fragments de bois décollés avec la pointe de sa botte.

– Quoi ? dit-il, sur un ton qui se voulait dégagé.

– Il y a même eu une récompense...

– Quoi ? C'est quoi mon surnom ? fit-il d'une voix plus pressante.

Elle eut un mouvement de recul, tout en conservant son air de défi.

– « L'Assassin »…

Il s'arrêta devant le poêle froid, en partie enfoncé dans le sol pourri et parsemé de déjections animales. Il effleura d'un doigt la surface rouillée. En fuyant cette ville pour traverser le monde, il s'était imaginé, sottement, pouvoir échapper au drame de sa vie : mais celui-ci était contenu dans la prison de ce mot. C'était à la fois la raison pour laquelle il n'était jamais revenu, et celle pour laquelle il venait de rentrer. *L'Assassin.*

– On prétend que vous avez poignardé votre sœur, poursuivit la fillette. Il y a des années. Mais pas seulement. On dit que vous lui avez fait pire encore…

– Ce n'était pas moi.

– Qui, alors ?

Il hésita ; fallait-il dire la vérité qu'il n'avait jamais révélée à personne ?

– Je n'aurais jamais fait une chose pareille…

Elle le dévisageait toujours, dans l'expectative.

– Tu ne le diras à personne. Ma mère ne doit pas l'apprendre…

Elle fit un pas en avant.

– Je ne dirai rien. Juré ! Croix de bois, croix de fer…

– C'était mon oncle, avoua-t-il enfin. Avec quelqu'un d'autre. Un autre homme. Je ne sais pas qui.

Sadie ne sembla pas surprise. Elle se racla la gorge.

– C'est ce que M. Dalton veut me faire, non ?

Quinn ne répondit pas. Qu'une enfant de cet âge ait la moindre idée de cette chose-là, c'était grotesque.

– Que s'est-il passé ? Qu'avez-vous vu ? insista-t-elle.

Il secoua la tête.

– Je ne peux pas te le dire.

– C'est pour vous venger que vous êtes revenu ?

– Non...

Il se reprit.

– Je ne sais pas.

– Vous devriez. Surtout si tout le monde croit que c'est vous.

Il eut un geste vague.

– J'irai peut-être à la police. Pour leur dire ce qui s'est passé. Qui c'était.

Elle lui jeta un regard étrange.

– On ne vous l'a pas dit ?

– Dit... quoi ?

– Vous ne savez pas... ?

– Quoi ?

– Robert Dalton, c'est la police.

Le cœur de Quinn défaillit.

– Je ne te crois pas.

Elle l'examina. Son regard était éclairé d'une lueur farouche.

– Robert Dalton est le constable de Flint. De tout le district. Il a succédé à M. Mackey il y a quelques années. Personne ne croira qu'il a tué votre sœur. C'est évident ! Tout le monde l'apprécie. Il passe pour un homme honnête et droit. J'ai entendu les gens. Ils sont unanimes. Même s'il boit. On parle de lui comme d'un saint. Votre mère aussi. *Surtout* votre mère.

Quinn se mura dans un silence stupéfait. Il se sentait mal, comme si l'oxygène s'était retiré de la pièce.

– Vous, vous étiez là-bas, poursuivit-elle. C'est ce qu'affirme votre père.

Il se pencha en sorte d'être au niveau de son regard.

– Dans ce cas, pourquoi n'as-tu pas peur de moi... si je suis « L'Assassin » ?

Elle ne recula pas.

– Parce que. Parce que je vois que vous avez aussi peur que moi de M. Dalton...

La nuit venue, ils mangèrent des haricots froids et du pain sec, après quoi Sadie lui raconta d'autres choses : Mme Taylor pleurait toutes les nuits ses trois fils morts à la guerre ; le fils McClaren était mort de la peste et du sang était sorti de son oreille quand on l'avait transporté hors de la maison ; la fille du révérend avait été engrossée par un représentant de commerce et on l'avait emmenée chez Le Chinois qui lui avait donné une potion pour faire passer le bébé ; le jeune Harman était revenu de la guerre possédé par le diable ; son oncle rendait parfois visite à la veuve Higgins, tard le soir. Qui était mort, qui s'était marié – autant d'événements qui s'enchevêtraient et tissaient la chronique de cette petite ville.

Elle parlait vite, riait, jetait des détails au hasard, comme anxieuse de se débarrasser des informations qu'elle avait engrangées.

– Tous les soirs, je vais là-bas épier aux fenêtres, dit-elle en haussant les épaules quand Quinn lui demanda comment elle pouvait en savoir autant. Depuis longtemps. J'écoute... personne ne sait que je suis là. J'ai appris toutes sortes de secrets. C'est ce que je veux dire quand j'affirme que je peux vous aider. Je suis douée pour fouiner...

Elle lui parla de son frère Thomas, qui prenait soin d'elle quand leur couturière de mère allait faire des courses à Bathurst. Il était allé combattre comme pilote d'avion.

– Je dois attendre son retour. La guerre est finie, n'est-ce pas ? Il saura quoi faire, il s'occupera de moi. Il va bientôt rentrer. Ce n'est plus qu'une question de jours...

Quinn prit un morceau de pain et le plaça dans sa bouche.

– Oui, la guerre est finie depuis des mois.

Elle s'illumina en entendant cela et déclara qu'elle n'avait pas d'autres parents, à sa connaissance, ou alors un oncle à Perth, mais elle ne connaissait pas son nom et Perth, c'était loin, n'est-ce pas ? Elle n'avait nulle part où aller. Il lui fallait attendre Thomas, qui avait peut-être été retardé par la peste, voilà pourquoi c'était aussi long.

Plus tard, cette nuit-là, alors qu'il était allongé dans le noir, elle se mit à chanter un cantique dans la pièce à côté :

Dans ce doux au-delà
On se retrouvera sur ce beau rivage
Dans ce doux au-delà
On se retrouvera sur ce beau rivage

Il songea à cette fameuse séance de spiritisme, quand il s'était trouvé piégé dans ce salon à Londres. Mme Cranshaw avait assuré à l'assemblée que le Seigneur était parmi eux en ce moment même, qu'il ne fallait aborder ses filles sous aucun prétexte, avant de se lancer dans une version déglinguée de ce même cantique, se tournant depuis le clavier de son piano vers l'assistance avec des sourires encourageants au début de chaque couplet. Ce mélange de théâtre et de religiosité était troublant : la dernière note s'étant évanouie, une dame ou deux avaient été en pleurs. Ensuite, très digne, la tête basse, Mme Cranshaw s'était éclipsée, laissant les trois jeunes filles assises autour de la table. Le champ de vision de Quinn avait été bouché par une épaule, puis par les plumes d'autruche d'un chapeau. Un jeune homme chuchota quelque chose à son compagnon. Fletcher se tenait près de lui, bras ballants, une lueur d'espoir dans les yeux. La tension générale était à son comble.

Les mains posées à plat sur la table, les trois jeunes filles fermèrent les yeux. Elles avaient dans les quatorze ans. Chacune portait une robe blanche et avait les cheveux noués en arrière par des rubans. Leurs visages étaient pâles comme des petites lunes au-dessus de cous graciles. Quinn se dandinait sur place. Un attelage passa dans la rue. À l'heure où ils s'en iraient, Fletcher et lui, il ferait nuit. Le linge humide du soir devait déjà tomber sur les rues de Londres, et ce fut à ce moment-là que l'Australie lui manqua – l'Australie et sa clarté si pure, si pleine, impitoyable.

L'une des blondes sursauta sur son siège et marmonna quelque chose. Puis, tout son corps fut pris de convulsions. Ses paupières papillotèrent et elle se mit, les yeux toujours fermés, à griffonner sur le papier avec un crayon. Sa compagne émit un sourd fredonnement et l'imita. Ni l'une ni l'autre ne semblait consciente de ce qu'elle fabriquait. La première laissait sa tête ballotter sur ses épaules, comme manipulée par d'invisibles mains.

En dépit du scepticisme de Quinn, toute cette scène – avec ses lumières vacillantes et ses médiums en transe, la forte odeur de tabac – l'épouvanta. Il sentait la sueur dégouliner sur sa peau. La rousse ne bougeait pas et, peu à peu, la pièce s'effaça – rideaux, meubles, étagères pleines de livres – les laissant seuls tous les deux. Ses yeux étaient clos et son visage renversé en arrière, comme si ce qu'elle espérait capter allait la pénétrer par les narines. Sa peau semblait éclairée de l'intérieur. Quelques minutes plus tard, elle rouvrit les yeux et son regard tomba sur Quinn comme si c'était son visage qu'elle avait cherché depuis le début.

Elle le dévisagea si longuement qu'on commença à lui jeter des coups d'œil en chuchotant, comme si c'était lui, l'instigateur de cet échange muet. Finalement, elle se pencha et se mit à écrire, s'interrompant à tout instant comme pour prêter l'oreille et déchiffrer des instructions. Une mèche de cheveux roux balaya son visage, mais elle ne la chassa pas. Sa bouche se pinçait, se tordait.

Au bout d'une quinzaine de minutes, toutes trois cessèrent de gémir et s'immobilisèrent, menton sur la poitrine. L'assistance attendait dans un silence subjugué, tandis que Mme Cranshaw, sortant de l'ombre, réveillait chacune à tour de rôle avant de les emmener avec des paroles maternelles. Quinn ne savait trop à quoi il venait d'assister, mais des applaudissements crépitèrent dans l'assistance avant de se dissiper en commentaires et exclamations étonnées : « *Extraordinaire* ! » murmura sa voisine. « Ça par exemple ! s'exclama une autre. Vous avez vu la tête qu'elles faisaient ! »

S'ensuivit un brouhaha, Mme Cranshaw étant réapparue avec des bouts de papier visiblement arrachés aux rouleaux utilisés par les médiums. Elle entreprit alors d'appeler les noms gribouillés dessus.

– M. Wright ? Un message pour M. Wright. Merci, monsieur. Ce sera dix shillings. Y a-t-il une personne connue d'Emily… Masters ? Pasters ? Marsden ? Un enfant, je crois. La mère… peut-être ? Une tante ? Non ? Aaah, mademoiselle Wilcox. Contente que vous ayez pu venir cette semaine. Je sais, il a plu sans arrêt, n'est-ce pas ? Enfin, ça pourrait être pire. M. Conroy. M. Conroy, votre épouse se porte-t-elle mieux ? Bien, bien…

Quinn se retira dans l'entrée pour y attendre Fletcher. Il avait hâte de s'en aller et espérait seulement ne plus jamais avoir affaire à cette Mme Cranshaw. Des personnes passaient devant lui d'un air affairé, serrant pour certaines des bouts de papier, le visage déformé par le chagrin ou la joie. Quand Fletcher le rejoignit, il était abattu, car il n'avait reçu aucune nouvelle de sa fiancée. Déjà il parlait de voir une autre médium, une particulièrement versée dans l'art de converser avec les jeunes femmes trépassées.

Quinn répliqua qu'on ne l'y reprendrait plus. Ils remirent leurs chapeaux, franchirent la lourde porte et s'apprêtaient à descendre les marches menant aux rues mouillées et reluisantes quand ils entendirent des bruits de pas. Une voix les héla. Quinn se retourna pour voir la jeune rousse se hâter de traverser le vestibule, retroussant sa robe pour ne pas trébucher sur l'ourlet. Elle avait les joues rouges et, sans lui laisser le temps de réagir, elle dévala les marches, se jeta contre lui et l'enlaça.

– Merci, merci d'être venu ! murmura-t-elle avant de rentrer dans la maison avec une répugnance évidente.

Le tout n'avait pas duré plus de cinq secondes, mais il sentit un nouveau malaise lui nouer l'estomac.

Mme Cranshaw elle-même déboucha dans le vestibule derrière la jeune fille, ses yeux lançant des éclairs, sa bouche barrée d'un pli amer. Elle les regarda tour à tour. Troublé et ne sachant comment réagir, Quinn tira sur sa tunique froissée et finit de se reboutonner. Son haleine fumait devant lui. La bruine criblait le halo d'un réverbère. Comment Fletcher avait-il réussi à l'entraîner dans cet horrible endroit ?

Mme Cranshaw avait à présent la main sur l'épaule de la jeune fille – pas de façon totalement maternelle. En fait, cette dernière recula en chancelant tandis que sa mère – si c'était bien sa mère – s'élançait dans l'escalier. Comme Fletcher lui faisait remarquer qu'il faudrait surveiller sa fille, qui semblait un brin perturbée à l'issue de cette séance, Mme Cranshaw l'ignora et alla se planter juste devant Quinn.

– Que vous a-t-elle dit ? fit-elle dans un grondement.

Le col rabattu contre sa nuque, celui-ci aurait préféré se trouver n'importe où ailleurs – au soleil, de préférence. Il s'agrippa à une pointe du grillage. Le contact du fer forgé froid et humide lui rappela que, dans deux jours, il serait de nouveau en France et il ressentit un inutile pincement au cœur.

Mme Cranshaw se rapprocha encore. La pluie s'accumulait sur ses cils.

– Je vous le demande encore une fois : vous a-t-elle dit quelque chose, monsieur ?

Son haleine restait suspendue dans l'atmosphère, aussi épaisse que la fumée d'une bougie : une impression augmentée par l'odeur de cire. Elle le toisa, comme dans l'espoir de noter quelque chose susceptible de révéler ce qui s'était passé entre lui et la jeune médium.

– Les messages de l'au-delà sont payants, vous savez…

Par-dessus son épaule, Quinn aperçut la jeune fille, debout dans l'entrée, la tête dans les épaules.

– M. Walker… c'est bien ça ?

– Oui.

– Alors, monsieur Walker, que vous a dit Margaret ?

– Rien. Elle n'a pas dit un mot.

– Vous en êtes sûr ?

– Oui. Tout à fait sûr.

La femme délogea quelque chose d'incrusté dans sa lèvre inférieure avec la langue. De nouveau, elle l'examina, mais finit par remonter les marches du perron en bougonnant.

– C'est inutile de revenir, monsieur Wakefield, déclara-t-elle à un Fletcher abasourdi depuis le perron, avant de claquer la porte.

C'est seulement dans leur baraquement d'Abbey Wood qu'il avait découvert le petit mot que la jeune Margaret avait dû fourrer dans sa poche en l'enlaçant. Mais même à présent, par une soirée étouffante dans une cabane abandonnée, à des milliers des kilomètres de ce salon londonien, il revoyait ce regard frémissant qui, eût-il été le son d'un instrument, aurait été proche de la note la plus basse d'un violon.

10

Sadie fut fidèle à sa parole. Le lendemain matin, elle le conduisit à la ferme, passant par des ravines et des enchevêtrements d'acacias et de grevilléa.

Le trajet dura plus d'une heure et, quand ils arrivèrent à la lisière de la propriété, Quinn se demanda comment il ferait pour retrouver son chemin.

Sadie enroula un fil bleu autour de la plus basse branche d'un gros campêchier.

– Rendez-vous là-dessous, lui dit-elle, comme lisant dans ses pensées. Je serai ici dans une heure environ, et on rentrera ensemble. C'est plus sûr… En attendant, je vais essayer de trouver à manger…

– Attends !

Il ne savait toujours pas pourquoi il avait choisi de faire confiance à cette étrange gamine.

– Et Robert Dalton ?

Elle chassa une mouche.

– Je ferai attention. Jamais il ne m'attrapera. Il n'a aucune chance. N'oubliez pas : dans une heure…

Sur ce, elle décampa tel un lutin et s'enfonça à travers le sous-bois avant qu'il ne trouve autre chose à dire.

Sa mère était endormie quand, serrant de nouveau une touffe de lavande, il entra dans la chambre. Elle avait les traits gluants de sueur. Quand elle ouvrit les yeux, elle marmonna quelque chose d'incompréhensible, puis, dans un râle, déclara :

– Mon pauvre fils prodigue. Si beau dans son uniforme…

Quinn passa la main sur sa tunique avec une fierté puérile. Hors contexte, le tissu en était raide et engonçant. Il faudrait trouver des vêtements civils et se débarrasser des relents de la guerre.

Longtemps, elle le considéra.

– Je me suis parfois demandée si je ne pourrais pas, à force de te pleurer, te faire surgir – comme le lapin du chapeau d'un prestidigitateur. Tu te souviens de ce Houdini, dans les journaux… ? Une idée idiote, bien sûr, sauf que tu es bien ici et que – ne le dis à personne, on me prendrait pour une folle – j'ai vu une petite fille passer dans le couloir. Avoir de la fièvre présente des avantages, je suppose… Il y a des raisons d'aimer son chagrin, a dit un jour quelqu'un de plus sage que moi. Quel est ton avis, Quinn ?

– Mon avis sur quoi ?

– Crois-tu qu'on peut ressusciter quelqu'un par la seule force de l'amour ?

C'était une bonne question, mais il n'avait pas la

réponse. Sa mère lui tendit la main, et il comprit qu'elle voulait le toucher comme la première fois, pour se prouver qu'elle n'était pas le jouet de son imagination.

Elle s'humecta les lèvres.

– J'espérais te revoir, mais je ne croyais pas que ce serait dans ce monde.

Quinn avait aussi envisagé ces retrouvailles et s'était demandé quelle serait la réaction de sa mère, en apprenant que c'était son propre frère qui avait tué Sarah. Avec amertume, il se rappela ce qu'elle lui avait dit la première fois : *Robert m'a sauvée du désespoir.* Et il comprit qu'il ne pourrait jamais lui dire la vérité, sous peine de l'achever. Il suffirait qu'elle sache qu'il n'était pas le coupable.

– Même mon fils aîné n'est pas auprès de moi. William est devenu fermier ; il s'est marié. Il ne pouvait pas rester ici, pas après… Il a beaucoup souffert. Il m'écrit quelquefois – pas souvent. Aujourd'hui, il a sa propre vie…

C'était difficile d'imaginer William marié. Celui-ci avait toujours été plus à l'aise pour manier des objets que des êtres humains – le genre de garçon qui a toujours un marteau ou un tournevis en main. Il avait fabriqué lui-même la cabane à oiseaux suspendue aux branches et confectionné des figurines en bois, sculptant les yeux et les bouches. Déjà à l'époque où Sarah était toute petite, les deux frères s'étaient disputé son affection comme on le fait de celle d'un chiot, mais très vite William s'était reporté sur la prévisibilité des machines. Il les observait sous la mèche blonde qui lui barrait le front, appuyé à un piquet tandis que leur père exposait quelque chose dont il avait entendu parler au bar de l'hôtel.

– Tu as été marié, Quinn ? Tu as eu des enfants ?

Il fit non de la tête. En fait, après le meurtre de Sarah, il n'avait osé aimer personne avec un pareil abandon, de peur de perdre de nouveau l'objet de son amour. Il y avait bien eu cette fille, Emily, la fille d'un fermier pour lequel il avait travaillé avant la guerre. Une jolie brune, qui lui avait même un jour caressé la joue, au crépuscule. De temps en temps, il essayait d'imaginer ce qu'elle était devenue, mais rêver d'elle lui suffisait.

Sa mère soupira.

– C'est un étrange pacte qu'on passe avec les dieux – en contrepartie du plus pur des amours, il faut subir la peur constante qu'une chose terrible arrive à votre enfant et ce sera votre faute, puisqu'on lui a donné le jour. Toutes les fois où j'ai pensé à toi… Les mères ne croient jamais à la mort de leur enfant. J'ai vu ça chez d'autres dont les fils avaient été tués à la guerre. C'est terrible ! Des mois après avoir reçu le télégramme, elles continuent à guetter leur retour, postées à leur fenêtre. La nuit, je me réveille. Un enfant, poursuivit-elle d'une voix tremblante, ça reste un enfant, malgré les années écoulées. On s'inquiète pour tout et rien. C'est un amour terrible. Terrible !

Un silence gêné s'ensuivit. Son regard mouillé de larmes tomba sur la main de Quinn.

– Tu m'as apporté quelque chose ?

Il lui tendit les fleurs, à présent ramollies dans son poing.

Sa mère esquissa une grimace de plaisir. Elle effleura son collier de boules de camphre.

– Désolée pour l'odeur... C'est pour ma maladie. Cette... grippe – si c'en est une ! C'est censé purifier l'atmosphère.

Elle eut un geste qui lui rappela l'époque lointaine où elle les gâtait en leur donnant des gâteaux à peine sortis du four, à lui et à Sarah, tandis que leur père et William travaillaient au-dehors.

– Je ne crois pas que ça marche, mais ton père a insisté... La moitié du pays meurt de ça. Celle pas encore tuée à la guerre, du moins. Il l'a fait lui-même, tu sais. Il est très fier de son habileté manuelle.

Quinn se représenta son père en train de confectionner ce collier à la lueur de la chandelle, de ses doigts épais, noircis, y mettant la même application qu'à toutes les tâches qu'il pensait utiles à sa famille. L'émotion lui noua la gorge.

Elle porta la lavande à ses narines et ferma les yeux pour mieux s'imprégner de l'odeur.

– Lavandula... Une fleur biblique, tu sais. On la trouve citée dans les Psaumes du roi Salomon sous un autre terme. Je ne me rappelle plus lequel... Toi, tu t'en souviens ? Je suis sûre de t'en avoir parlé. Ça commence par un N, je crois. Ça va me revenir...

Elle s'assoupit, puis se réveilla en sursaut.

– Dis-moi donc où tu étais passé... pendant toutes ces années, dit-elle comme si elle avait redouté son départ.

– J'ai beaucoup voyagé, maman. Par où commencer ?

– Par le début. Je veux tout savoir.

Il observa une pause.

– C'était il y a longtemps…

– Je sais. Je suis bien placée pour le savoir. Si tu savais…

Elle bredouilla pendant une minute, puis reprit contenance.

– Tu sais, j'avais l'habitude de me faufiler dans votre chambre pendant que vous dormiez – à l'époque où vous étiez petits – pour vous observer, vous entendre respirer. Vous étiez totalement accordés, ta sœur et toi…

La douleur déforma le visage de Quinn. Il pencha la tête afin de cacher les larmes qui lui brûlaient les yeux et roulaient sur ses joues. C'était intolérable. Jamais il n'aurait dû venir. Il plaqua une main sur sa bouche comme pour interdire à son chagrin d'en sortir. Ses doigts puaient la nicotine.

– Le jour…, dit-il, mais bientôt son chagrin étouffa ses paroles.

Il continua à pleurer, incapable de se contenir.

– C'est uniquement la peur qui m'a poussé à m'enfuir, dit-il entre deux sanglots. Je ne savais pas quoi faire… C'était trop tard pour la sauver. J'avais peur. J'ai couru, couru… Maman, je ne pouvais même plus parler…

C'était vrai. Pendant des mois, les mots étaient restés coincés comme des os dans sa gorge. Il avait sillonné le pays tout seul, se tenant à distance des gens, ne voyant que son ombre se lever devant lui le matin pour glisser tout autour de sa silhouette de fugitif – jusqu'au soir, où elle rentrait en lui. Mumbil, Coolah, Curlewis –

autant de noms de lieux qui auraient pu désigner des crimes dans des langues étrangères. Il ne parlait à personne. Il se baignait dans des rivières ou des canaux, mangeait de l'herbe ou des fruits volés la nuit dans des vergers ou des jardins. Trois jours durant, deux dingos trottinèrent après lui comme s'il avait été un kangourou éclopé, le forçant à dormir dans des arbres. Époque stérile.

Sa mère toussa et tendit une main constellée de sang.

– Allez, allez. Ça suffit, maintenant. Tu ne peux pas la ressusciter, Quinn. C'était il y a longtemps. Parlons de choses plus réjouissantes, dit-elle avec un entrain forcé. Au moins, la guerre est finie… Nous voici réunis. Pour le moment, c'est assez pour me rendre heureuse. Et si tu me disais comment tu as fait pour arriver jusqu'ici ?

Quinn se ressaisit et essuya ses larmes.

– J'étais à Sydney…

Elle tenta de se redresser sur son séant.

– Oh, formidable ! Ça fait bien longtemps que je n'y suis allée. Et le port ? Toujours aussi beau ?

– Bien sûr. Très animé. Beaucoup de trafic. Les gens sont contents que la guerre soit terminée. Ils peuvent retourner à leurs affaires…

– Tu y es resté longtemps ? Que faisais-tu là-bas ?

Quinn se moucha et s'autorisa un sourire timide.

– J'ai tenté de trouver une orange…

Cela la fit rire.

– … mais sans succès… !

– Une orange ! Tu as toujours adoré ça. À une époque,

tu ne mangeais que ça ! Mais je n'en ai pas vu depuis bien longtemps. Oui, ce serait bien agréable... La guerre, tu sais... Cela signifie qu'il y a pénurie de nourriture. Les fermiers partis combattre. Qui ne reviendront pas, pour certains...

De nouveau, elle ferma les yeux. Il était désormais évident qu'elle était mourante. Et elle avait raison : la moitié du pays avait été touchée par cette grippe. À Sydney, les journaux prédisaient de nouvelles épidémies, des montagnes de morts. Comme si la guerre, ce n'était pas assez. Quinn se pencha pour saisir sa main chaude et humide. Elle s'assoupit et, dans le silence qui suivit, il se demanda ce qu'il pourrait lui dire de la guerre, de sa vie. Il sentit sous ses bottes une légère vibration. Des sabots ferrés. Des chevaux qui arrivaient. Il se redressa.

Sa mère marmonna quelque chose.

– Quoi ?

– Quel jour sommes-nous ?

– Lundi, je pense.

– C'est peut-être le Dr Fraser avec ton père.

La panique souffla en lui. Même avec son ouïe défaillante, il comprenait que les chevaux étaient là, sans doute au portail. Il se demanda s'il pourrait sauter par la fenêtre pour s'échapper sans être vu, mais sa mère lui tendit la main.

– Va te cacher à côté. Dans ton ancienne chambre. Vite ! Ton père restera au-dehors.

– Tu ne lui diras pas que je suis ici ?

– Bien sûr que non ! Va vite...

Il fit ce qu'on lui disait. Tel un intrus, il se tint derrière la porte fermée de la pièce qu'il avait partagée avec Sarah et William. Son cœur battant à grands coups, il tendit l'oreille. Des voix vagues, celles de son père et du Dr Fraser. Puis, un coup frappé à la porte. Le docteur parlant fort, son pas dans le couloir, la malade l'accueillant. Quinn colla son oreille à la porte mais sans distinguer plus que des murmures, une toux provoquée, des cliquetis de fioles posées sur la commode. Bientôt le Dr Fraser sortit et alla bavarder avec Nathaniel avant de partir.

Quinn se détendit assez pour considérer ce qui l'entourait. Sa mère avait raison : la pièce n'avait pas changé. C'était comme s'il avait été transplanté dans le passé. Il y avait la même commode écornée, l'étagère avec ses livres pour la jeunesse bien fatigués et la poupée de Sarah. Tout était sous la poussière, dont les atomes flottaient dans la lumière. Sous le lit se trouvait un sac plein d'outils. Par terre, à côté de l'autre lit, celui de Sarah, se trouvait la boîte à cigares où elle conservait ses trésors. Cette boîte exerçait un étrange magnétisme.

Quinn n'avait jamais réussi à imaginer sa sœur dans la mort. Non seulement il lui était impossible de concevoir une version pastorale du paradis dont les gens parlaient, mais l'imaginer couchée dans un cercueil lui était encore plus difficile. Souvent, il s'était surpris à commenter à voix haute pour elle ce qu'il faisait – par exemple border une voile, faire un nœud. En général, il la voyait à ses côtés – en train d'entortiller une mèche de cheveux, tâchant de se tenir en équilibre sur une barrière, se penchant pour lui murmurer un secret à l'oreille.

Il s'agenouilla pour ramasser la petite boîte et l'ouvrit. Elle contenait un timbre, un caillou en forme de tête de kangourou, du fil barbelé, une fausse perle, trois pépites d'or, la plume de pie que sa mère avait mentionnée, et un gros bouton rouge. Ce bouton, Quinn l'identifia aussitôt : c'était l'un des trois ou quatre dont Sarah avait exigé que sa mère les couse à ses robes – par exemple, la blanche qu'elle portait le jour de son assassinat. Il les contempla avec horreur, comme s'ils menaçaient de se liguer contre lui. S'il avait pu s'enfuir à l'instant même, il l'aurait fait.

De la boîte, il ôta le bouton rouge, le porta à ses lèvres, puis à son front. «*J'ai fait un rêve qui n'était en rien un rêve. Le soleil s'éteignait et les étoiles erraient, sombres, dans l'espace éternel.*»

Il remit le bouton dans la boîte, et celle-ci – avec tous ses trésors – là où il l'avait trouvée. Puis il se glissa jusqu'à la fenêtre qui surplombait la véranda, prenant soin de ne pas être vu de son père, qui était assis dans un fauteuil, près de la chambre de sa femme, la tête entre les mains. Il paraissait abattu, et cela suscita en lui une profonde mélancolie. Son père avait rapetissé avec les années, prenant des dimensions plus humaines.

Celui-ci releva la tête et parla par la fenêtre ouverte.

– Le docteur dit que tu vas à la fois mieux et moins bien.

La réponse de Mary fut inaudible.

– Agité…, ajouta-t-il. Quoi… Eh bien, tu devrais faire comme il dit. C'est lui le docteur. Bien sûr qu'il sait ce qu'il fait. Tu portes bien ton collier ? Mary ? On dit que c'est efficace. L'as-tu au moins près de toi ?

Il s'interrompit pour écouter la réponse.

– Très bien. Je n'insisterai plus, mais tâche de le garder sous la main en permanence… Je sais que ça pue. C'est censé purifier l'atmosphère. Mais il y a autre chose que j'ai commandée de Sydney. Un nouveau produit qui va arriver prochainement : le Remède Hearne contre les Bronchites. On m'a assuré que ça marche pour…

Son visage était maculé de suie et ses bras toujours aussi musclés. Une moustache ombrait le dessus de ses lèvres. Il avait les coudes sur les genoux, les doigts croisés – dans une attitude de fatigue ou de prière. De temps en temps, il se levait pour changer de position ou se faire mieux comprendre de son épouse. Dans ses épaules affaissées, les expressions passant sur ses traits burinés, on pouvait déceler l'essentiel de leur terrible histoire familiale, tout comme le vent se fait tangible lorsqu'il froisse un champ de blé.

Ses parents se turent. Son père s'agita et jeta des regards autour de lui. Du fait de cette longue station debout, Quinn avait des crampes aux jambes. Au bout d'une quinzaine de minutes, Nathaniel se leva pour partir.

– Tu as vu ce que ces auxiliaires t'ont apporté à manger… ? Ça ira… ? Tu es sûre… ? Et tu vas bien le manger ? Tu as besoin de toutes tes forces. Bon, j'y vais. Oh, au fait, j'allais oublier. Ton frère a dit qu'il passerait aujourd'hui.

Il a été occupé. C'est à cause d'une petite orpheline qu'il recherche, dans les collines…

Il donna un coup de chapeau contre sa cuisse poussiéreuse et s'esclaffa.

– Il m'a dit qu'il l'avait aperçue il y a quelques jours, mais que – tiens-toi bien, Mary ! – elle s'était transformée en serpent. Il a dû tout inventer, tu connais son imagination… C'était peut-être des chasseurs de lapins… Beaucoup de gens se déplacent, en ce moment. Bref, il est tombé et s'est blessé à la main – ça devrait le ralentir un peu.

Mary dit quelque chose que Quinn ne put entendre.

– Bien sûr qu'il va bien. Il ne lui arrive jamais rien. Mais je le lui dirai. Je veillerai à ce qu'il passe effectivement. Ne t'en fais pas, Mary. Conserve tes forces.

Quinn entendit les pas de son père décroître sur la véranda et il se redressa pour le voir s'éloigner à cheval, sur le chemin. La voie étant libre, il quitta son ancienne chambre, traversa le sombre couloir et sortit dans l'après-midi tout éclaboussé de soleil.

Comme promis, Sadie l'attendait à l'ombre de l'arbre. Il fut exagérément content de la revoir et dut se retenir de l'embrasser. Ensemble ils retournèrent à la cabane dans la chaleur de l'après-midi, mais ce fut seulement à mi-chemin qu'il s'aperçut qu'elle ne transportait rien.

Il s'arrêta.

– Tu n'as rien trouvé à manger ?

Elle s'arrêta aussi, les mains aux hanches, fit non de la

tête et ramena une mèche de cheveux derrière son oreille. Elle semblait épuisée.

– Je n'ai pas pu. Il y avait trop de monde. Demain, j'irai là-bas encore plus tôt. Vous en faites pas. Je sais ce que je fais. Allons…

11

Cette nuit-là, Quinn se coucha par terre, emmitouflé dans son trench-coat, avec ses seules mains pour oreiller. Dehors, la nuit bruissait et ses années d'absence ne lui semblaient plus aussi longues. Il avait faim. Il guetta des bruits de pas, des voix, la venue de ceux qui voulaient le lyncher. Au bout d'un certain temps, tout retomba dans le silence. Il ignorait où elle était, mais la fillette ne faisait aucun bruit.

Nard. N'était-ce pas le nom de la lavande dans la Bible, celui que sa mère cherchait l'autre jour ? Ça ne lui ressemblait pas d'oublier ; à une certaine époque, il avait été convaincu qu'elle connaissait tout ce qui valait la peine d'être connu : les noms des épouses d'Henri VIII, ceux des planètes, les dates de la Révolution française. Elle-même était un oiseau rare dans ce pays où, en gros, les gens comprenaient peu de choses au monde extérieur et s'en souciaient encore moins. Quand on lui demandait comment elle pouvait avoir des notions de latin, ou savoir que le premier gouverneur général d'Australie s'appelait

Hope, elle souriait, se tapotait la tête et disait qu'elle avait dormi, enfant, avec l'encyclopédie sous l'oreiller et que ces connaissances avaient infiltré peu à peu son cerveau.

Naturellement, ce n'était qu'une affabulation parmi d'autres. En fait, elle s'était instruite grâce à la riche bibliothèque de son père, ses parents ayant péri sur un bateau à destination de Hongkong alors qu'elle avait dix-neuf ans. Quinn la revoyait, allant faire sécher du linge ou chercher de la farine à la dépense, un dictionnaire ouvert dans le plat de la main. « Écoutez, les enfants, déclarait-elle avant de citer un fragment de poème ou un obscur épisode historique. Voilà qui va te plaire, William. Tu vois ce type suspendu à la grue, la tête en bas… ? Tu vois ? C'est Houdini. Ou quelqu'un dans son genre. Extraordinaire. Même enchaîné, il parvient à se libérer, tu sais… » Elle attirait leur attention sur la sagesse renfermée dans les livres. « Une histoire, c'est une merveilleuse création, disait-elle. Une ouverture sur un autre monde. Moi aussi, j'aime m'échapper de temps en temps… »

Elle avait quitté Sydney pour s'installer ailleurs en Nouvelle-Galles du Sud au tout début de son mariage, même si elle aurait préféré rester dans cette grande ville, et c'était naturellement par-là que son imagination l'entraînait. Bien que n'y étant jamais allée, elle leur parlait de Londres la brumeuse et de la ténébreuse ville du Caire. Elle leur lisait tout ce qui lui tombait dans les mains – la Bible, les journaux, des aventures des Troyens, de la poésie hermétique, et même des tracts publicitaires qu'elle avait trouvés à Flint (*Les pastilles Life – un merveilleux remède familial à l'asthme, la bronchite, les rhumes, la dysenterie, les fièvres, les affections spasmodiques, rages de dents, etc.)* Même quand elle faisait de la pâtisserie ou cousait, elle leur narrait un millier d'anecdotes curieuses et – même si Sarah était, de loin, la plus douée pour retenir les faits et chiffres – Quinn se surprenait souvent à régurgiter des bribes d'information ou des passages d'un poème qui avaient dû lui être transmis par sa mère, par un lointain après-midi ensoleillé. *Mon nard exhale son odeur.*

Et puis, ce fut l'aurore. De vagues lueurs entraient dans la cabane. C'était comme nager dans un lac profond aux eaux troubles. Les canonnades avaient enfin cessé au cours de la nuit et pour une fois on n'entendait même pas les distants crépitements de l'artillerie. Décidant de profiter de ce silence, il resta couché là, sous son trench-coat, sans se faire plus remarquer qu'une pierre. Sous peu, de toute façon, quelqu'un allait lui tomber dessus, l'engueuler ou d'une manière ou d'une autre le réveiller, et alors, plus de sommeil jusqu'aux calendes grecques... *Allons, Walker. Debout !*

Il se sentait respirer, mais de l'intérieur. Le moite mouvement de soufflet de ses poumons usés. Il délogea un éclat de bois dans le plancher. Par terre, devant lui, une fourmi zigzaguait. Voir que cette créature si minuscule était pourvue d'une ombre l'émerveilla. Comme il tripotait le bout pointu, son pouce finit par en être écorché. Deux gouttes de sang gonflèrent et éclatèrent. Vivre. Quel truc étonnant. Vivre en ces temps de guerre, c'était être chargé, sinon par de l'électricité, par la violence et la pitié – par tout ce dont les hommes étaient capables.

Puis il entendit des oiseaux et comprit où il était. La guerre était terminée. On était les vainqueurs. Ah, oui. Anxieux désormais, il se redressa sur son séant, s'essuya la bouche, ayant bavé sur sa cicatrice. Où était la petite ? D'après elle, on avait mis sa tête à prix. Dieu du ciel. Bien sûr.

Dehors, il y avait une présence. Des pas. Des voix. Sadie, si c'était son véritable nom, avait dû le trahir. Le dire à Dalton. On le tuerait. Son oncle le pendrait à un arbre. Quelle bêtise de faire confiance à cette gamine ! Il avait les idées embrouillées, c'était bien le problème. Avec la chaleur et tout le reste, sa détresse de voir sa mère dans cet état...

Il prit une grosse planche et se posta, genoux fléchis, tel un gros oiseau s'apprêtant à prendre son envol, son trench-coat en boule, par terre. Sadie s'encadra sur le seuil, serrant un gros sac en toile de jute contre sa poitrine. Quinn brandit le madrier comme pour frapper.

La peur se lut sur son visage.

– Ne me faites pas de mal..., dit-elle.

Sa voix était ténue, mais son expression assez éloquente.

– Qui t'accompagne ?

– Personne.

– Tu mens !

– Il n'y a personne.

– J'ai entendu des voix.

La fillette balbutia quelque chose.

– Quoi ?

– Je chantais...

Quinn observa un silence. Il pencha la tête comme font les gens à moitié aveugles pour mieux discerner formes ou mouvement, mais sans rien entendre de plus. Si la petite avait amené Dalton, ou quelqu'un d'autre, il se serait manifesté à présent. Il se décontracta, tout en gardant le morceau de bois sous la main.

– Où étais-tu passée ?

Pour toute réponse, elle souleva le sac en toile.

– Je suis allée chercher à manger. De très bonne heure, c'est le mieux…

– Qui t'a donné ça ?

Elle eut un rire sans joie.

– Donné ? Personne…

Quinn s'essuya la bouche et s'approcha d'elle. Elle surveillait la planche, comme prête à s'enfuir si jamais il cherchait à la frapper. Lui saisissant le poignet, il l'attira d'abord contre lui, puis l'entraîna à l'extérieur tandis qu'elle se trémoussait.

Elle avait dit vrai : personne. Il la relâcha.

Elle se tenait toute raide, tête basse, le visage sous le rideau de ses cheveux. Les phalanges de la main qui tenait le sac avaient blanchi sous l'effet de sa colère. Un bleu s'épanouissait sur sa peau, au niveau du poignet, là où il l'avait attrapée. Il lâcha la planche.

Elle lui jeta le sac et plusieurs choses en tombèrent. Elle parla, mais ce fut seulement comme il ne lui répondait pas qu'elle le regarda. Ses yeux miroitaient comme de l'eau au fond d'un puits.

– Si jamais vous portez encore la main sur moi, je vous arrache les yeux !

Honteux, il regarda le sol pour voir ce qui était tombé. Une miche de pain et un pot de confiture. À l'intérieur du sac, une petite bouteille de whisky, du tabac, de la farine, quatre pommes et, calées contre sa botte, deux oranges. Il releva la tête pour lui parler – dire *excuse-moi*, *merci* – mais elle était partie.

12

Vingt minutes durant, Quinn l'appela et battit les fourrés autour de la cabane, mais pas la moindre trace d'elle. Elle avait disparu. Se reprochant sa méfiance, il remit les vivres dans le sac en toile et rentra dans la cabane. Au prix d'un certain effort, s'égarant ici ou là, il se rendit chez ses parents tout seul. Après s'être abrité à l'ombre du campêchier le temps de s'assurer que la voie était libre, il alla au chevet de sa mère.

Les paupières de celle-ci papillotèrent, après quoi elle se rendormit. Quinn lui épongea le front. Son état semblait avoir empiré et il se demanda si ses visites ne lui faisaient pas plus de mal que de bien. Il y avait plusieurs flacons de comprimés sur la commode. Quinine, aspirine et les Pilules à l'Anis Sauvage du Dr Morse – *nettoie à l'intérieur comme à l'extérieur et prévient la grippe.*

Au bout de quelques minutes, elle se réveilla de nouveau et sourit. Ils échangèrent des futilités. Pendant toute la matinée il lui raconta les aspects agréables de la guerre : la joie de s'engager ; de sympathiser avec un soldat d'Adelaide nommé George Kenward ; de traverser la Manche de nuit, malgré le roulis qui donnait mal au cœur.

– Certaines régions de France sont très belles, lui dit-il, à peine conscient de ce qu'il débitait.

Il parlait pour meubler le vide, la rajeunir d'une façon ou d'une autre.

– Les coins préservés de la guerre, bien sûr… Les maisons sont si anciennes. Ils ont beaucoup de bois, là-bas. Des forêts, comme dans les contes de fées que tu nous racontais, quand on était petits…

Sa mère ne répondit pas, mais la voir acquiescer l'encouragea.

– Un soir, on a traversé l'une de ces forêts… Il faisait sombre, on n'y voyait goutte. Nous étions des centaines à marcher au bord de la route, sur l'herbe, parmi les arbres. Hommes, chevaux et mules, le plus discrètement possible, en parlant au minimum afin de ne pas gaspiller notre énergie. Le lendemain, on devait attaquer un village infesté d'Allemands.

Sa mère murmura quelque chose. Quinn se pencha.

– Quoi, maman… ?

– Tu avais peur ?

– Oui.

– Mais tu y es allé quand même…

– Je n'avais pas trop le choix. J'ai beaucoup prié.

Mary ouvrit les yeux.

– Quand tu n'étais qu'un nourrisson, ton cœur battait si vite que c'était à croire que tu en avais deux ! Tu as toujours été courageux…

Quinn tressaillit.

– Eh bien, dit-il après un silence, on était quelques centaines à avancer péniblement. Il faisait froid, on pouvait voir notre haleine. C'était comme de la fumée, comme si on était déjà au combat. En gros, on se contentait de suivre le type en tête, de mettre un pied devant l'autre sans trop cogiter.

Quinn se rappelait avoir aperçu un hibou sur le tronc cisaillé et noirci d'un arbre. Il les regardait passer sans émotion, comme s'il avait vu défiler des armées depuis des siècles, du haut de ce même perchoir. Gaulois, Romains. Des harnachements cliquetaient dans les ténèbres. De temps en temps, quelqu'un trébuchait sur une racine ou autre, et pestait. Quinn gardait les yeux baissés, concentré sur ses pas. Ça sentait le feuillage humide, la laine mouillée et la sueur des chevaux.

– Au bout d'un moment, ça s'est un peu éclairci. On se croyait dans une vallée, ou une cuvette quelconque, à cause de la brume. Il était encore trop tôt pour que ce soit des brumes matinales. On a consulté les cartes. Puis, on a entendu plusieurs sons caverneux, un genre de *pot*, puis un autre, et un autre… Il y avait une odeur curieuse – presque identifiable, mais pas tout à fait – un peu comme du foin mouillé. J'ai vu un camarade tomber à genoux et prier. Puis d'autres en firent autant. Il y avait plein de types à genoux dans la brume, comme si leurs membres inférieurs s'étaient enlisés dans la boue.

Il essuya le front de sa mère.

– Le gaz moutarde. On nous avait envoyé les gaz. On

s'est tous mis à quatre pattes, au ras du sol, conformément aux consignes, mais certains paniquaient et n'arrivaient pas à ajuster leurs masques. Ce n'est pas toujours facile : tes mains tremblent et la lanière s'accroche à des trucs. En plus, il faisait nuit. Certains en ont inhalé et il a fallu les transporter jusqu'au front.

Le gaz avait mijoté dans les fossés et les entourait tandis qu'ils poursuivaient leur route. Ils avaient attendu une autre attaque, plus franche, qui n'était pas venue. Des soldats se jetaient à terre et on devait les encourager à se remettre debout, à eux qui ne demandaient qu'à s'enfouir au sein de la terre. Sa propre respiration était brûlante, sonore et obsédante comme si, avec ce masque, ses tuyaux et les systèmes de fermeture, il avait été changé en une sinistre machine. Ils marchaient à travers ce brouet toxique, et même les fanfarons étaient devenus graves.

Tout autour d'eux, le sol était jonché de matériel cassé, de caisses de munitions vides, de lambeaux d'uniformes, de livres, de gravats. Il vit une grosse pendule murale. Des roues de bicyclette, des pneus d'automobile. Des cadavres. De la vaisselle, des boîtes en bois. Çà et là, volaient des bouts de papier. Une collection de bottes, de brancards crottés. Assis en tailleur sur une table, un officier les regarda passer. Même si son visage était caché par son masque, son expression était celle d'une lugubre dérision quand il passa le doigt en travers de sa gorge. Deux chaises, des casques et chapeaux, des boîtes de corned-beef, des arbres déchiquetés, dressés contre le ciel blafard.

Au bout de quelques instants, Quinn s'aperçut que des choses craquaient sous ses pieds. En se baissant, il découvrit que c'étaient des petits oiseaux morts tombés des arbres. Ils étaient rebondis et rigides, devaient avoir la taille d'un cœur d'enfant, et il en garda un dans sa paume, sans raison précise, tout au long de cette nuit. À l'aube, ils arrivèrent dans un champ et c'est là qu'il s'endormit. Quelques heures plus tard, quand il se réveilla, l'oiseau était toujours dans sa main. Ses plumes rouges frémissaient sous la brise ; sa langue était une pastille de plomb. Un prêtre passait parmi les hommes qui toussaient et râlaient, des jeunes prématurément vieillis. Il leur assurait que Dieu était avec eux dans ces épreuves. Quelqu'un pleurait, un autre se mit à crier sans pouvoir s'arrêter, et on finit par l'emmener.

Quinn et sa mère restèrent silencieux pendant quelques minutes.

– Pardonne-moi, dit-il. Je n'aurais pas dû te raconter cela. Tu n'avais pas à le savoir.

Il se sentait bête, honteux. D'un geste, elle chassa ses scrupules.

– Donc, tu n'as pas vu le Petit Chaperon Rouge ? Ni ce satané loup ?

Il eut un sourire.

– Non. Ce sont juste des contes…

– Les contes sont rarement juste des contes, le gronda-t-elle.

Il lui parla de la bataille pour le village de Pozières – enfin, ce dont il se rappelait (le tracé bleu, zigzaguant d'une bombe, le fracas de l'artillerie) avant l'explosion de l'obus qui l'avait projeté au sol. C'était peut-être cet épisode qui avait suscité l'annonce erronée de sa mort. Il s'était passé pire encore, par la suite, mais il n'en parla pas. Il n'y avait pas de mots pour décrire ces horreurs, ou alors il aurait fallu utiliser tous les mots à la fois, les dépouillant par là même de leur sens.

Soudain, il lui vint une idée.

– Maman ? Tu te souviens d'une famille Fox, vivant dans la région ?

Mary se répéta le nom, plongée dans le puits de sa mémoire.

– Fox. En effet, ça me dit quelque chose. Ils vivaient du côté de Sutton Ridge. Très pauvres. Je crois que la mère était couturière. Le père avait filé. Oui…

Elle prit un air méprisant.

– Ah oui… Ton père avait entendu dire qu'elle pratiquait la magie, mais j'en doute fort. Des ragots entendus chez Sully. En fait, mon frère m'a dit qu'il avait tenté de les aider dernièrement, mais qu'elle l'avait repoussé. En quoi ça t'intéresse, Quinn ?

– Simple curiosité, c'est tout. J'ai rencontré un type en France qui les connaissait.

Il l'embrassa sur le front et s'apprêta à partir.

– Je me sauve. Tu es fatiguée. Je reviens demain…

Mary ferma les yeux. Elle semblait reposée. Cette conversation lui avait-elle fait du bien, malgré tout ? Comme il était sur le seuil, elle le rappela.

– Quinn ! Quel était donc ce surnom que ta sœur te

donnait… ? Ce nom amusant, quand elle était trop jeune pour prononcer correctement ton prénom ? J'y pensais l'autre jour. Je me creusais la tête…

– Pim.

– Ah oui ! Brave petite…

13

Quinn alluma une bougie, chétive défense contre l'obscurité. Dehors, les insectes bourdonnaient dans la chaleur de la nuit et des chauves-souris se suspendaient aux branches des arbres en lourdes grappes. En raison de la canicule, il s'était dépouillé du plus gros de son uniforme, ne gardant que son pantalon et son maillot de corps. Ses bras et chevilles dénudés étaient fins et glabres. Autour de lui les éléments de son uniforme formaient comme un archipel : son trench-coat, sa tunique, la musette avec le masque à gaz.

Dans la pièce d'à côté, Sadie chantait une quelconque chanson populaire tout en pratiquant un jeu où il fallait apparemment flanquer quelque chose contre le sol. Après quoi il y avait des tâtonnements et des choses secouées. Clac, clac. Très énervant, mais il avait décidé de la laisser faire, après l'incident dans la matinée avec le sac en jute. Elle n'était rentrée qu'à la tombée de la nuit et ne lui avait toujours pas parlé. Cette gamine était détraquée ; ça se voyait à sa démarche glissante, à son regard flottant. Les orphelins possédaient en général ruse et fragilité à proportion égale, l'une et l'autre étant une forme de désespoir. Sadie ni plus ni moins que les autres. Il avait songé à l'abandonner, mais avait choisi de rester, en tout cas pour le moment. Elle avait besoin de lui et, en outre, lui-même ne devait pas s'éloigner, à cause de sa mère.

Elle se remit à chanter avec les intonations nasillardes d'un chanteur de charme qu'il avait lui-même entendu sur un phonographe. *Souris et le monde sourira avec toi. Pleure et tu seras seul à pleurer. La-la, il n'est pas de bonheur sans nuages, la-la-la.*

De son pantalon, il sortit un étui à allumettes, et de cette petite boîte en métal tira un morceau de papier qui avait été plié et replié telle une carte minuscule. C'était le petit billet que Margaret, la médium, lui avait remis à Londres. Il savait ce qui était écrit dessus, mais ne pouvait s'empêcher de vérifier de temps à autre – comme on le fait d'une lettre de sa fiancée – dans l'espoir que les mots prendraient un sens nouveau ou de voir apparaître une autre signification – un sens caché. Dans ces griffonnages devenus presque illisibles, il y avait cette même phrase qu'il avait découverte, des mois plus tôt. Il la contempla pendant plusieurs minutes.

– Qu'est-ce que c'est ?

Il releva la tête, surpris. Sadie était là, sur le seuil. Il songea à cacher le billet, mais c'eût été peine perdue – elle devait l'observer depuis un certain temps. D'ailleurs, mieux valait qu'elle reste : il s'en voulait de ce qui s'était passé.

– Un message, dit-il.

– De qui ?

Il la dévisagea. Lors de cette lointaine soirée à Abbey Wood, Fletcher lui avait posé la même question, qu'il avait éludée d'un vague marmonnement. Mais à présent il se sentait obligé de dire la vérité.

– C'est de… d'une petite fille.

– Qui ça ?

Il déglutit.

– Ma sœur. Sarah.

Sadie se rapprocha, non sans hésitation, tout comme un chat se faufile dans une pièce. Et il comprit que, tel un chat, il faudrait l'amadouer, petit à petit. En fait, tout son corps tremblotait à la lueur de la bougie, comme si elle pouvait s'évaporer à tout instant. Elle écarta ses cheveux et fronça les sourcils.

– Vous trimbalez ça depuis… depuis qu'elle est morte ?

Quinn la contempla depuis l'endroit où il était assis, en tailleur, sur le sol.

– Ce n'était pas moi, tu sais. Ces gens en ville, ils ont tort de m'appeler le… Il faut me croire. C'est mon oncle, l'assassin.

Elle le dévisagea de ses yeux sombres. Elle avait cette habitude puérile de passer le pouce sur la couture de sa robe à hauteur de la hanche, comme pour manifester son indécision. Ce qu'elle était justement en train de faire. À cet endroit le tissu était sale et usé.

– Tu n'as rien à craindre de moi, reprit Quinn. Je ne te ferai aucun mal.

Il vit ses lèvres remuer.

– Quoi ?

– C'est juré ?

– Bien sûr !

Elle fit la moue.

– « Croix de bois, croix de fer, si je mens j'vais en enfer ? »

Quinn replia le billet, le remit dans l'étui qu'il rangea dans sa poche.

– Croix de bois, croix de fer...

L'air quelque peu soulagée, elle regarda autour d'elle, comme à la recherche de sujets de conversation, et continua à tripoter la couture de sa robe. La flamme de la bougie vacillait dans le courant d'air. Finalement, elle se glissa entièrement dans la pièce et s'appuya au mur. Dans cette pénombre elle semblait distante, hagarde, à la fois proche et lointaine. D'avoir joué par terre, elle avait les genoux noircis. Le bas de sa robe était déchiré, ses cheveux emmêlés, mais ceci était contrebalancé par sa grâce innée. Quinn éprouva de la tendresse pour elle, de l'inquiétude non seulement pour son avenir mais pour ce qui avait déjà pu se produire dans sa jeune existence.

– Moi aussi, j'ai une lettre ! déclara-t-elle. De mon frère. Vous voulez la voir ?

Il eut un sourire de soulagement. Apparemment, il avait regagné sa confiance.

– Oui, évidemment...

Elle retourna dare-dare dans sa chambre. Il entendit un remue-ménage, un bruit de boîte en fer. Puis elle revint, un peu rouge et l'air ravie. Dans sa main, il y avait un bout de papier froissé. Elle le survola du regard, comme pour s'assurer que c'était bien la bonne lettre, avant de la lui tendre.

L'écriture était penchée, appliquée.

Chère maman,

Ici, je m'entraîne à voler. Impossible de te dire où je suis, ni sur quel genre d'avion on nous forme à cause de la censure, mais tout va bien. Mes camarades sont de braves types ; il y a même un gars de Bathurst ! Nous travaillons dur et avons hâte d'aller dérouiller les Boches. Sur le bateau, j'ai eu le mal de mer. On va voir du pays. En Égypte, j'ai essayé de monter un chameau, mais pas moyen de le faire avancer ! Les Égyptiens se sont bien foutus de moi, je te jure ! Ces gens-là essaient toujours de te vendre un truc. On ne peut pas leur faire confiance. Bon, je dois m'arrêter là. Ne t'en fais pas, je suis sûr qu'il ne m'arrivera rien et que cette guerre ne va pas durer. Peux-tu m'envoyer des chaussettes, s'il te plaît ? Il fait froid, ici. Occupe-toi bien de ma chère sœur. Dis-lui que je lui enverrai bientôt une carte postale.

Ton fils qui t'aime, Thomas

Cette lettre datait de juin 1917, presque deux ans plus tôt. C'était très probablement celle d'un homme mort, envoyée d'Angleterre pendant sa formation. Elle avait un accent de naïveté ; seuls ceux qui n'avaient pas encore combattu pouvaient croire que la guerre serait brève.

Sadie lui rafla la lettre.

– Vous voyez ? Il sera bientôt rentré.

– Tu pourrais aller à Sydney, s'il n'y a personne pour prendre soin de toi. Il existe aujourd'hui des organismes qui s'occupent d'enfants comme toi. Des orphelins. Parce que tu es une orpheline, désormais. La Croix Rouge pourrait te recueillir...

Elle fit non de la tête.

– Vous êtes comme Robert Dalton...

Quinn en fut consterné.

– Non ! Non, pas du tout ! Je te défends ne serait-ce que de le penser ! En aucun cas. Je ne suis pas comme lui.

La fillette resta silencieuse jusqu'au moment où il réalisa, avec effroi, qu'elle pleurait. Il se leva pour aller la consoler, mais elle se dégagea.

– Je ne veux pas vivre chez des gens que je ne connais pas ! dit-elle. Je veux ma maman. Je veux que mon frère revienne. Thomas saura quoi faire. Je veux que tout soit comme autrefois.

Je veux que tout soit comme autrefois. Il voyait bien ce qu'elle voulait dire. Sadie déclara quelque chose d'incompréhensible.

– Quoi ?

– Vous allez rester ici ?

– À Flint ?

– Avec moi...

Il reprit sa place, par terre.

– Je ne sais pas si j'ai bien fait de revenir. À quoi bon ?

Je ne peux pas dire à ma mère qui est le coupable. Elle est déjà si malade, et le choc de me revoir...

– Mais vous ne pouvez pas partir !

– Et si tu m'accompagnais ? Ici, nous ne sommes pas à l'abri. Ils me tueront si on me trouve. Quant à toi, si Dalton...

– Pour le moment, on ne court aucun danger. J'attends Thomas. Gracie ne sera pas de retour avant quelques semaines, et Dalton ne nous traquera pas tout seul. Je verrai, quand le traqueur sera rentré. Pour le moment, on ne risque rien.

– Mais comment sauras-tu que ce Gracie est revenu ?

– Je le saurai. J'ai des oreilles pour entendre... D'ailleurs, ma mère m'a appris des choses...

Quinn repensa à ce que son père avait entendu dire chez Sully.

– Quoi ? Des formules magiques ?

Elle lui jeta un regard. Tout incrédule qu'il fût, il opina. Impossible de discuter avec cette gamine.

Elle s'installa par terre, à côté de lui.

– Vous pourriez tuer Robert Dalton...

– Quoi ? Tu m'en crois vraiment capable ? De tuer mon oncle ?

Elle eut un vague haussement d'épaules.

Quinn en resta bouche bée. Enfin, il retrouva sa voix.

– Au cours de la guerre, on m'a remis une médaille pour ma bravoure. C'est à peine si je me rappelle ce que j'avais fait pour la mériter. La guerre, ce n'est rien que du bruit, le chaos. On m'a dit que j'avais sauvé deux hommes qui avaient été blessés et auraient été tués sans cela. Mais ce n'était pas de la bravoure. Cette médaille, quelle farce ! J'ai peur de mon oncle. Je sais de quoi il est capable. Un jour que je l'avais surpris épiant Sarah à sa toilette, il m'a dit qu'il me ferait la peau si jamais j'en parlais. Et je ne l'ai jamais fait. Jusqu'à aujourd'hui. De plus, dit-il en se souvenant des paroles de sa mère, la vengeance ne nous appartient pas. Elle appartient à Dieu. J'ai vu beaucoup de morts, depuis quelques années.

Elle se pencha en avant :

– Dans ce cas, un de plus ou de moins… Ce n'est rien. Dieu ne regarde même pas.

Quinn secoua la tête. Elle souhaitait si ardemment ces représailles qu'il se demanda si elle ne l'avait pas attendu pour cela.

– Je ne peux pas…

– Edward Fitch vous dénoncera. Gracie aidera Dalton à vous trouver. Il me trouvera. On vous pendra.

– Comment sais-tu que j'ai vu Fitch ?

– Je vous l'ai dit ! fit-elle avec une emphase théâtrale. Je vois, j'entends des choses…

Une fois de plus, il se rappela que Sadie n'était qu'une gamine de douze ans, ignorante du monde.

– Personne ne croira Edward Fitch. C'est un simple d'esprit. De plus, si Dalton est aussi incapable que tu le dis, pourquoi redoutes-tu à ce point qu'il nous trouve ? C'était juste une coïncidence, le jour où il a failli nous attraper…

– « Coïncidence »… c'est quoi ?

– Le synonyme de hasard…

– Ça n'existe pas.

Quinn eut un rire gêné.

– En tout cas, notre rencontre est bien le fruit du hasard…

– Pas du tout !

– Alors quoi… ?

Elle marmonna quelque chose qu'il ne comprit pas.

– Quoi ?

– J'ai prié pour votre venue. Pour qu'on me vienne en aide. J'étais ici, par terre. Ici même.

Elle pointa le doigt sur sa poitrine.

– C'est moi qui vous ai fait venir !

– Je croyais que Dieu était indifférent. Ce n'est pas ce que tu as dit, tout à l'heure ?

Il fut choqué de déceler une déplaisante note de triomphe dans sa propre voix. Elle lui jeta un regard méprisant.

– Si, mais Dieu n'est pas tout seul…

Quinn frissonna. Répandues autour d'eux, par terre, il y avait ce qu'elle s'était procuré ce matin-là : la miche de pain, les pommes et les oranges. Il prit une gorgée de whisky et fit la grimace. L'alcool ne lui avait jamais réussi – ça l'endormait – mais s'il y avait jamais eu un temps approprié pour avoir des vices, c'était bien l'après-guerre. Il reprit son souffle et s'essuya la bouche du revers de la main.

– À votre place, je me laisserais pousser la barbe, dit-elle au bout de quelques minutes. De cette façon, il ne vous reconnaîtra pas quand vous irez le tuer…

Quinn se caressa le visage. Durant toutes ses années de pérégrinations, au cours de la guerre et après, il s'était obstiné à se raser avec une application quasi religieuse, comme si cela pouvait préserver son humanité au milieu de ces horreurs. C'était l'acte dérisoire d'un individu civilisé, pas toujours facile à exécuter. Il effleura sa cicatrice à la bouche. La petite avait peut-être raison. Peut-être qu'ici, au milieu de nulle part, ce n'était plus la peine.

Il lui tendit une orange.

– Tiens, dit-il, pressé de changer de sujet et de sceller leur amitié. Tu as faim ? Mangeons…

– Non, c'est pour vous. Cadeau…

Il posa l'orange sur le plat de sa main. Il avait dû se retenir toute la journée.

– Non, on va partager, toi et moi. La nourriture doit être partagée, n'est-ce pas ? Un repas, c'est un partage, disait ma mère…

Et, ressentant déjà les effets de l'alcool, il se mit à éplucher l'orange de ses doigts gourds.

Quinn avait mangé beaucoup d'oranges dans sa vie, mais jamais de meilleure. Ils la dévorèrent. Douce et acidulée, comme il se doit. Il en savoura chaque bouchée, prenant soin de ne pas perdre la moindre goutte. Sadie se lécha les doigts et eut une mimique de plaisir. La voir sourire lui fit plaisir.

– À qui as-tu volé ça ? dit-il.

À la lueur de la bougie, ses dents palpitaient comme du linge mis à sécher sur une corde. Elle lui raconta qu'elle dévalisait presque tous les habitants, à un moment ou à un autre. Les gens avaient leur train-train quotidien, et il suffisait de les observer pendant quelques jours pour savoir quand ils s'absentaient de chez eux. Certaines maisons, elle ne s'y risquait jamais, bien entendu. Cela durait depuis plusieurs années. Son frère lui avait appris plein de tours. C'était facile, et la plupart des familles ne faisaient pas un drame d'avoir perdu une pomme ou un peu de pain.

– Je peux vous procurer n'importe quoi, se vanta-t-elle.

– Quoi, par exemple ?

– Je ne sais pas. Un cheval ? Un marteau, des clous… Une arme à feu…

– Un cheval, ça passerait difficilement inaperçu… D'ailleurs, c'est mal de voler.

– C'est mieux que crever de faim ! C'est pas ma faute si mon père est parti. C'est pas ma faute, la guerre. Comment vivre autrement ? Regardez autour de vous…

Elle eut un ricanement et fit un geste qui englobait non seulement cette masure, mais aussi la Révolution bolchevique, l'épidémie de grippe espagnole, la Grande Guerre avec ses canons et ses lance-flammes, et le meurtre de Sarah. Elle avait raison. Face à cette débâcle, voler n'était pas si grave.

– Alors, qu'est-ce que vous voulez ? lui demanda-t-elle après un silence.

– Il me faut des vêtements ordinaires. Je déteste cet uniforme. Et du tabac.

Elle le toisa tout en retirant de la pulpe coincée entre ses dents. La trivialité de sa demande semblait la décevoir.

– Bon, d'accord…

– Une orange, c'était mon plus cher désir, en fait. Même pendant la guerre j'en cherchais... Je demandais à tous les paysans que je pouvais rencontrer, j'ai harcelé l'intendance. Ma mère prétend que je ne mangeais que ça, quand j'étais petit. J'ai toujours adoré ça.

Elle acquiesça.

– Oui, je sais.

Quinn releva la tête.

– Comment peux-tu le savoir ?

Elle se figea, ses doigts luisants au bord de la bouche. Un peu de pulpe était suspendu à sa lèvre.

– Vous parlez dans votre sommeil.

– Je parle d'oranges ?

– Oui. Et d'autres choses, aussi. Des choses que je ne comprends pas. Une histoire de gaz. Vous bredouillez beaucoup. Quelquefois, ajouta-t-elle en souriant, comme amusée par la tournure de la conversation, vous faites comme les chiens...

– J'aboie ?

– Non, pas ça. C'est comme... comme les chiens quand ils sont blessés. Ils geignent...

– Pourquoi m'espionnes-tu dans mon sommeil ?

Elle ramena une mèche derrière son oreille.

– Je dois savoir exactement qui vous êtes.

– Et qui es-tu donc... toi ?

De nouveau, elle sourit.

Quinn lui tendit la main, mais elle se déroba si vivement qu'elle renversa la bougie plantée sur la gamelle en fer-blanc. La flamme vacilla, crachota, s'éteignit. La pièce sombra dans les ténèbres, s'emplit d'une forte odeur de cire. Il renversa une chaise, ou une boîte, et pesta. Il chercha dans ses poches des allumettes afin de rallumer la bougie. De la cire chaude lui brûla la main. Il mit quelques secondes à s'habituer à l'obscurité ; après quoi, il vit Sadie debout au fond de la pièce, avec un grand couteau au poing. Ses traits étaient déformés par la terreur.

– Je vous ai dit de ne pas me toucher ! le menaça-t-elle d'une voix sourde.

Quinn ne fit pas un geste. Il leva le doigt pour indiquer sa propre lèvre.

– Tu as de l'orange sur la bouche, c'est tout…

Mais elle avait disparu.

Plus tard, il s'efforça de rester éveillé le plus longtemps possible, mais finit par sombrer. Au cours de la nuit, il se réveilla, hors d'haleine, des lambeaux de rêves désagréables encore accrochés à lui. Sa première idée fut qu'elle l'avait poignardé. Il déboutonna sa tunique, s'attendant au contact gluant du sang sur ses doigts. C'était foncé. Chaud et foncé. La nausée l'empoigna aux tripes. Il se recroquevilla au maximum sur le plancher, faisant une boule de lui-même, comme il avait vu des blessés le faire. Il entendit des bruits de pieds nus. La folle. Sadie. Merde. Elle allait l'achever. Dire qu'il avait survécu à tout ça pour être poignardé au ventre par une petite orpheline…

Il chercha à tâtons une arme improvisée, mais en vain. Sa désorientation était totale. Il se cogna la tête au pied en fonte du fourneau, rampa sur les lattes du plancher, visant l'encoignure. Le revolver. Où était son revolver ? Il fouilla dans ses poches. Ah, oui. Le revolver était perdu...

Et puis, elle se matérialisa à son côté, au début sous la forme d'un simple contour, le visage à peine distinct de l'obscurité, disant des choses qu'il ne pouvait entendre tant sa respiration était assourdissante. Il se recula et projeta sa main en avant pour se défendre, mais elle était plus forte qu'il ne l'aurait cru – ou bien lui, il était plus faible – et comme sa respiration se ralentissait et qu'il cessait de lutter, il perçut malgré sa surdité partielle qu'elle ne disait rien de particulier – juste un doux *chut-chut-chut*.

Elle décampa pour revenir une minute plus tard, alluma la bougie et remua le contenu d'une timbale avec son doigt.

Le liquide, trouble, ne sentait rien de spécial, sinon une vague odeur de pharmacie.

– Eau et bicarbonate de soude, dit-elle. Il n'y a pas mieux quand on a été gazé. J'ai entendu Tom Smith en parler. Je m'en suis procurée toute une boîte pour vous.

Quinn renifla, but. C'était légèrement amer, mais ses crampes d'estomac s'estompèrent. Sadie avait mis sa main en coupe derrière sa tête pour l'aider à boire. Ses doigts avaient gardé le parfum de l'orange qu'ils avaient savourée ; son haleine était comme un verger après la pluie. En pleurs et hoquetant, il avala ce breuvage. Sa gratitude était pathétique. Quand, pour la dernière fois, s'était-on aussi bien occupé de lui ? Même les infirmières de Harefield étaient brusques, malgré cette jovialité toute anglaise qu'elles dispensaient à travers le service. Et heureusement : les hommes mouraient continuellement, étaient emportés sous des draps ou bien renvoyés en France dès qu'ils pouvaient de nouveau marcher.

Il s'écoula quelques minutes encore, avant qu'elle ne le relâche.

– Merci, dit-il.

Elle s'éloigna en traînant les pieds et il entendit craquer une allumette tandis qu'elle allumait une autre bougie. Un halo de lumière l'encercla et projeta son ombre très allongée contre le mur. Elle avait toujours le couteau à la main.

– Maintenant, vous me devez quelque chose..., dit-elle.

14

Quinn s'agenouilla, torse nu, son maillot de corps à côté de lui. La sueur s'accumulait dans les replis de son ventre. De la main gauche, il tira la peau tendue contre sa cage thoracique. De nouveau espiègle, Sadie s'accroupit à côté de lui pour l'observer, le menton dans la main. Il ignorait pourquoi il avait dit oui, mais espérait que cela aurait au moins pour effet de dissiper l'évident désarroi de la fillette. Prenant le couteau de sa main libre, il fit mine de s'entailler par deux fois la poitrine.

– Ici ? Comme ceci ?

Elle opina.

– Tu es sûre que c'est absolument nécessaire ? Tu ne peux pas me croire sur parole… ?

– Non.

– C'est que… c'est plutôt étrange.

– Allez…

Dans les arbres, des chauves-souris poussaient des cris aigus. Il imagina un homme très vieux, en train d'ouvrir et refermer très vite des dizaines de petites portes montées sur des charnières rouillées, à la recherche d'une chose égarée. Il ne fallait plus s'étonner de rien, ces temps-ci… Il appuya la lame contre sa peau et grava une croix dans sa poitrine. Rien, sur le moment – puis du sang sombre.

Sur le navire les menant au Moyen-Orient où ils devaient faire leurs classes, des soldats avaient gravé des motifs sur leur corps, comblant les plaies avec une pâte faite d'huile et de charbon de bois. Ils gravaient ainsi à jamais le nom de leur chérie, de leur mère, celui de leur village natal ou de leur bataillon. Mais ceci, ce que Sadie avait exigé de lui, c'était différent – à la fois châtiment et promesse.

D'un geste, il demanda le linge humide qu'elle avait préparé pour essuyer le sang, mais elle refusa de la tête.

– Il faut prononcer la formule, sinon ça n'a pas de sens…

Quinn pensa à Sarah et à la façon dont les petites filles avaient toujours des rituels alambiqués pour tout. Souvent, les jeux n'étaient qu'un prétexte pour appliquer une nouvelle batterie de règles, lesquelles se limitaient souvent à la meilleure façon de jouer à cache-cache ou à la bataille. Par une journée de printemps, elle n'avait consenti à manger et à boire qu'à partir du moment où Quinn et William (qui était furieux) s'étaient habillés en lutins pour interpréter une petite pièce sur une troupe d'acrobates qui rencontraient une mystérieuse tribu. Comme toujours, penser à sa sœur suscita en lui une étrange sensation, comme si un gouffre s'ouvrait, menaçant de l'engloutir tout entier.

À présent, le sang des deux coupures avait dégouliné sur son ventre. Toujours à genoux, il se redressa pour éviter de tacher son pantalon, mais trop tard. Déjà le tissu au niveau de la taille s'assombrissait

– « Croix de bois, croix de fer... », dit-il. Et maintenant, passe-moi ce truc !...

Sadie eut un grand sourire et rampa jusqu'à lui. De sa cuvette, elle tira le linge ruisselant qu'elle appliqua contre sa peau, tendrement au début, le touchant à peine, puis plus fermement, essuyant le sang qui avait commencé à coaguler dans les poils de sa poitrine.

La blessure n'était pas douloureuse et Quinn la ressentait comme une délivrance. Alors qu'il observait la petite, penchée sur sa tâche, il s'attendait presque à voir de la vapeur sortir des deux branchies entaillant sa chair.

Le lendemain matin, il remarqua un étrange petit paquet suspendu à l'avant-toit, tels les restes effilochés, à première vue, d'un nid. Un examen plus approfondi révéla qu'il s'agissait de petits os, peut-être ceux d'un oiseau, ficelés par des cheveux noirs et de longues herbes sèches. Ce fragile objet d'aspect préhistorique crissa dans sa main. En inspectant le toit de la véranda, il en trouva deux autres, chacun suspendu également par du fil à une poutre. Sadie était sortie ; il ne l'avait pas revue depuis son réveil. Prenant ces petits paquets, il réfléchit là-dessus avant de les remettre à leur place.

Quand la fillette revint, cet après-midi-là, il l'interrogea à ce sujet, mais sans obtenir d'explication. Elle le dévisagea de ses yeux charbonneux.

– Vous n'y avez pas touché, hein ?

– Non.
– N'y touchez pas. C'est important.
– Mais qu'est-ce que c'est… ?
Elle posa la pomme qu'elle était en train de croquer.
– Laissez-les *exactement* où ils sont. N'y touchez surtout pas !

Son attention maintenant éveillée, il se mit à en trouver un peu partout. Elle devait confectionner ces offrandes depuis des années. Çà et là dans le bush, à proximité de la cabane, il tomba sur des amas de cailloux – tumulus pour Lilliputiens. Touffes de cheveux, rognures d'ongles et fragments de photos dépassaient des interstices. Il trouva par terre des ossements disposés en motifs, des squelettes d'insectes. Et même un jour, un bougeoir en laiton, bourré de dents d'animaux et de griffes de kangourous. Arrangés sur les appuis de fenêtres, ou au sol, des dessins composés avec de la ficelle et des herbes sèches, des tas de coquilles d'escargots. Une bille rouge était suspendue à un arbre, attachée par une tresse – telle une énorme goutte de sang, elle rougeoyait au crépuscule.

Un jour, à quelques centaines de mètres de la maison, il trouva un acacia orné, non seulement de ses fleurs jaunes, mais aussi de ce qu'il prit pour des dizaines de doigts d'enfants. Il se rappela ce que sa mère lui avait dit sur Mme Fox : qu'elle pratiquait la sorcellerie. Il s'approcha avec appréhension et fut soulagé de découvrir que ces pâles cylindres étaient des pages de la Bible, roulées et maintenues par des cheveux. Les extrémités de chaque petit rouleau étaient cachetées.

Il passa quelques instants à admirer cet ouvrage, qui devait représenter des heures de travail. L'air bruissait du chant des cigales. Il prit un rouleau, le décacheta et en répandit le contenu dans sa paume. Il y avait là des cendres, des graines et des petits cailloux, un médaillon d'argent vide. La page provenait du Livre de Jérémie. *Je ne ferai point tomber Ma colère sur vous, car Je suis miséricordieux, dit l'Éternel.* Songeant aux avertissements de Sadie, il la remit en place de son mieux. De la sueur coulait sur son visage et séchait sur ses lèvres, granuleuse comme du sel.

Sadie vola pour lui des vêtements civils. Une chemise blanche, un pantalon noir et une veste, usés, délavés par endroits, mais dans un état passable. Ils étaient légers, immatériels. Il ne demanda pas d'où ça sortait.

Chaque jour, il allait voir sa mère. Sa santé continuait à décliner et la plupart du temps elle était incapable de soutenir la moindre conversation. Il lui faisait la lecture, comme elle l'avait fait autrefois, à lui et à ses autres enfants, quand ils étaient malades, mais c'était difficile de savoir ce qu'elle comprenait et si ses visites lui étaient bénéfiques. Souvent ils restaient là sans rien dire, et c'était le pire. Non seulement la maladie de sa mère le terrorisait, mais c'était pendant ces silences lugubres qu'il prenait une conscience aiguë des fantômes qui se pressaient contre les vitres de sa mémoire.

Le soir venu, lui et Sadie allaient s'asseoir dehors pour capter les dernières lueurs du couchant. Le meilleur moment de la journée. Les oiseaux batifolaient dans les airs et la chaleur de l'après-midi retombait. Souvent Sadie se juchait sur une souche, le menton dans la main, et elle lui racontait des histoires : sur les Aborigènes qu'elle avait vus un jour traîner la carcasse d'un kangourou dans le bush, et qui l'avaient menacée dans leur jargon ; que Kimberley Porteous parlait tous les soirs à une photo de feu son époux, Reginald, tué par les Allemands en France ; que Billy Davis retrouvait parfois Miss Haylock au bord de la rivière, les nuits d'été. Elle connaissait les secrets de tous les villageois, engrangeait leurs vies, pouvait voir dans la moindre chambre de leurs cœurs.

Plus tard, quand la lune se levait, ils rentraient dans la cabane, allumaient les bougies et dévoraient leurs provisions. Quinn dormait toujours sur la paillasse qu'il s'était confectionnée avec son trench-coat, tandis que Sadie, avait-il découvert, se nichait dans un vide sanitaire qu'elle avait aménagé sous des planches cassées, avec une couverture et un couteau pour avoir chaud.

Il avait encore un peu peur de cette petite morveuse, cette Sadie Fox, d'une façon difficile à définir. En pleine nuit il l'entendait parler toute seule, murmurer des phrases qu'elle avait entendues à l'église. *Je prie le Seigneur de garder mon âme. Même si je marche à travers l'ombre de la vallée de la mort. Le Seigneur est mon berger.* Parfois, il soulevait la planche cassée et la regardait dormir parmi des vêtements, des trognons de pommes et des os de poulet. Il la voyait froncer les sourcils, crisper un orteil – code en Morse de ses rêves qui se jouait sur son corps.

Mais elle aussi, elle le surveillait. Quelquefois, ouvrant les yeux en pleine nuit, il l'apercevait – c'était d'abord deux grosses perles laiteuses clignant dans l'obscurité. puis, en fonction des phases de la lune, le contour de sa mâchoire ou les reflets de ses cheveux, l'éclat du couteau. La première fois, ils s'étaient dévisagé en silence : Quinn couché par terre, sur le flanc ; elle, recroquevillée près de la porte, genoux au menton, telle une gargouille tombée du pilier d'une église. Alors même qu'elle savait sûrement qu'il était réveillé, ils ne s'étaient pas fait signe cette nuit-là, et le lendemain non plus.

Après plusieurs nuits de ce régime, elle s'avança un peu plus dans la pièce, centimètre par centimètre, au point qu'il finit par capter l'odeur piquante de sa peau crasseuse. Un matin, il la découvrit à son réveil lovée contre lui, lui chatouillant la gorge de ses cheveux, son cœur battant vite et fort contre le sien. Dès lors et sans plus de discussion, ce fut ainsi qu'ils dormirent.

Les journées d'été se succédaient. Ils s'installèrent dans un semblant de vie commune : ranger la cabane, cancaner sur les habitants de Flint, partager les repas, somnoler durant ces longs après-midi, le bras de la petite lui barrant la poitrine. Jour et nuit, la chaleur soporifique envahissait l'espace de la cabane délabrée.

La croix sur sa poitrine commença à cicatriser, mais se mirent à apparaître sur son corps – en particulier son torse et ses bras – d'autres plaies, toute une galaxie de planètes et d'étoiles, de lunes minuscules égarées sur sa peau pâle. Certaines étaient profondes et douloureuses, d'autres de simples coupures. Il ne se rappelait pas s'être infligé cela lui-même. En général, il en découvrait une ou deux au réveil. Sadie… ? Comment savoir de quoi elle était capable ? Si elle le remarqua quand ils faisaient leur toilette, par exemple, elle n'en parla pas. Il s'interrogeait au matin, tâchant de déterminer lesquelles de ces coupures étaient nouvelles. Il cachait ses bras sous les manches de sa chemise quand il allait voir sa mère, mais il ne se passait pas de minute sans qu'il ne ressente leur présence criante.

De temps en temps, ils allaient se baigner dans le ruisseau, laver leurs vêtements et les mettre à sécher sur des pierres ou des branches. En poussant, la barbe de Quinn le démangeait. La nuit, quand la maison et ses environs étaient calmes, il croyait entendre les poils pousser sur ses joues – on aurait dit une multitude de clous arrachés d'une planche. En s'examinant dans un débris de miroir, il eut la surprise de déceler quelques fils gris, comme si cette barbe était celle d'un homme âgé, greffée sur un visage encore jeune. Distraitement, il caressa son nouveau visage, trouvant dans ce geste une curieuse volupté.

Quelquefois, Sadie disparaissait pendant des heures ; alors il arpentait la cabane ou bien allait s'asseoir, le dos à un des murs croulants, pour écouter, juste écouter, et s'efforcer de distinguer les chants des oiseaux et les froissements de feuilles, guettant un signe de son retour. À plusieurs reprises il tenta de la suivre mais il ne parvenait pas à tenir le rythme et chaque fois qu'elle s'en allait il avait peur de ne plus jamais la revoir. Il s'inquiétait de ce qui pourrait lui arriver et, plus les heures passaient, plus il se persuadait qu'il était arrivé une catastrophe : elle avait dégringolé dans un puits de mine, été capturée par son oncle, mordue par un serpent.

Mais il avait beau avoir attendu stoïquement, elle surgissait toujours de nulle part, sans s'être annoncée ni fournir d'explication sur ses pérégrinations. Le désespoir qu'il ressentait en son absence l'étonnait. Au fil des ans, il s'était habitué à la solitude jusqu'à devenir un homme réservé – jusqu'à présent. Mais à présent... Cet étrange désir.

Sadie ne parlait guère, ou alors, elle ne révélait pas grand-chose d'elle-même. Si Quinn l'interrogeait sur ses parents, elle haussait les épaules et exprimait de vagues regrets. S'il insistait, elle se mettait à bouder, puis se fâchait et il se sentait coupable. C'était désespérant d'imaginer tous ces gamins sans défense, livrés à eux-mêmes à cause de la guerre ou des épidémies. Il s'imagina une armée d'enfants marchant sur le pays, Sadie en tête, cherchant à se venger de ceux qui les avaient abandonnés.

Parfois il la voyait, quand il était allé ramasser du bois ou revenait de chez sa mère. Agenouillée dans les fougères, elle semblait en pleine conversation avec un insecte ou un lézard invisible. Un jour, il la vit debout, pressant de tout son corps un niaouli, en train de communier avec son tronc. Il l'observa à distance, jusqu'au moment où elle se tourna vers lui, comme si elle avait été consciente depuis le début de sa présence. Elle cligna des paupières, passa la main dans ses cheveux sales et déclara :

– Cet arbre dit qu'il pleuvra ce soir. Les fourmis, pareil.

Elles savent tout, bien sûr. Elles se parlent. Vous voyez comme elles s'arrêtent pour causer entre elles ?

La pluie semblait improbable ; le ciel était d'un bleu sans nuages. Ce soir-là, ils mangèrent des patates cuites à l'eau et du pain tartiné de miel. La cabane était éclairée par une multitude de bougies et une lampe à gaz qu'elle avait prise quelque part.

Plus tard, il entendit un roulement de tonnerre, suivi par un crépitement – au début, très discret mais augmentant pour prendre l'ampleur d'une salve d'applaudissements. Il sortit et, dans le creux de ses mains tendues, tombèrent de grosses gouttes. Un immense soulagement mêlé de peur l'envahit, quand il sentit la présence de Sadie dans son dos. La pluie, comme elle l'avait prévu. La pluie.

15

Dans la chambre de sa mère régnait une chaleur abrutissante. Comme à son habitude, elle dormait. Son profil, marmoréen, était celui d'une reine. Les rideaux avaient été tirés pour la protéger du soleil.

Il se rappela qu'en France, pendant la guerre, il s'était trouvé cantonné avec d'autres soldats australiens dans une ferme. Le village se composait d'une centaine de foyers. C'était un village aux rues pavées, aux toits de chaume, avec un mail où des vieillards se réunissaient pour fumer, l'après-midi. L'église passait pour contenir, entre autres, le corps miraculeusement préservé d'une bergère décapitée des siècles auparavant pour avoir repoussé les avances d'une fripouille, et qui avait parcouru plusieurs kilomètres, sa tête sous le bras, avant de s'écrouler. Le décor n'avait pas dû beaucoup changer depuis ce temps-là, abstraction faite du pilonnage incessant de l'artillerie qu'on entendait, le front n'étant qu'à une trentaine de kilomètres.

Un couple de personnes âgées exploitait cette ferme. Philippe, leur petit-fils de onze ans, vivait chez eux. Son père était parti à la guerre, et la mère se trouvait à Paris pour des raisons peu claires. Quand les soldats jouaient aux cartes, le soir, l'enfant restait posté à la porte. Un type, Bill Spark, l'avait surnommé Le Guetteur.

– Attention, les gars ! disait-il avec un clin d'œil. Le Guetteur est là. Pas de gros mots, surtout… !

C'était à la fin de l'hiver 1918. Le monde bruissait de nouvelles et de rumeurs : les Allemands avaient capturé cent mille hommes sur le front de l'Est ; les Britanniques progressaient sur la route Jérusalem-Nablus ; des centaines de marins avaient péri quand un cuirassé avait coulé au large de l'Irlande ; le Premier ministre avait contracté la typhoïde. Le propre bataillon de Quinn ne comptait plus que trois cents soldats, sur un effectif d'un millier à l'origine. Il avait espéré que ce conflit lui fournirait l'occasion d'expier, mais il ne s'était passé rien de tel. Les hommes mouraient et d'autres les remplaçaient. Ils se terraient au fond des tranchées, dans des trous, des ruines ; certains étaient si crottés qu'on les aurait dit façonnés dans l'argile. À ce stade, ils avaient moins peur de mourir que de continuer à vivre éternellement ainsi. La guerre, avait-il découvert, gâchait vos cinq sens : s'il fermait les yeux pour ne plus voir les cadavres ensanglantés et les arbres déchiquetés, il entendait encore les armes et les hurlements ; s'il se bouchait les oreilles, il sentait encore la terre trembler ; l'odeur du gaz imprégnait ses narines ; tout ce qu'il touchait était humide ou sanglant. Même dans son sommeil, il rêvait d'éclairs, de vêtements déchirés, de grommellements. Cela n'en finissait pas.

Et sa sœur était morte et enterrée.

Par un froid après-midi, alors qu'il était accroupi, adossé à un mur en pierre, il s'aperçut que l'enfant l'observait et, peu après, ce dernier s'approcha en dérangeant une troupe d'oies. Il avait les yeux bleus et des taches de rousseur. Quinn l'aimait bien. Il aurait voulu pouvoir lui assurer que ses parents ne risquaient rien et que la guerre serait bientôt finie, mais ils ne parlaient pas la même langue et, de plus, il pouvait se tromper. Donner de faux espoirs, c'était le pire.

Philippe le jaugea et se mit à parler.

– Toi vouloir…, dit-il dans son anglais bancal. Venir avec moi. Je te montre… quelque chose.

Quinn refusa d'un signe. Il préférait rester où il était, adossé à ce mur qui devait résister depuis au moins trois siècles. Mais l'autre insista. Il tira sur sa manche, et Quinn finit par céder.

Le village sentait le fumier et le pain frais. Ils passèrent devant une vieille femme en noir qui les regarda de travers et arrivèrent devant une grosse porte en bois. Philippe frappa et implora la personne qui se trouvait derrière pour qu'on lui ouvre. Au bout de quelques minutes, on entendit un verrou et ils se glissèrent à l'intérieur. Un homme les mena à travers une galerie et jusque dans une cour. Il portait la soutane : c'était donc un curé. Quinn s'impatientait. Il avait froid et faim. Il souffla dans ses mains en coupe et se mit à battre la semelle.

Ils entrèrent dans une étable qui ne contenait rien, sinon de la paille répandue par terre. Philippe et le prêtre allèrent tout au fond et s'agenouillèrent pour dégager un espace au sol avec les mains. Ils passèrent les doigts sur les contours de ce qui ressemblait à une trappe, qu'ils soulevèrent par son gros anneau en cuivre. Le curé, l'air mécontent, alluma une bougie et descendit en bougonnant dans la cave. Philippe fit signe à Quinn de les suivre.

Ce dernier hésita. Et s'ils avaient l'intention de l'assassiner ? Il y avait des rumeurs sur ces traîtres. L'avait-on vu partir avec l'enfant ? Il fourra les mains sous ses aisselles et contempla le trapèze lumineux qui tombait de biais dans la cour. Mais comme on lui faisait encore signe de se hâter, il emprunta les marches en bois.

L'endroit était froid et humide, mais il y régnait une odeur tropicale incongrue, comme de fruits trop mûrs. Le prêtre se mit à allumer d'autres bougies et tira un rideau avant de se tourner vers Quinn avec une fierté mêlée de timidité.

Quinn en resta pantois. Là, couchée sur une table basse, il y avait une jeune fille habillée de blanc. Dans cette lumière indécise, la table ne se distinguait guère des ténèbres, donnant l'impression qu'elle flottait dans l'espace. Au mur était punaisée une image de la Vierge Marie, et sur une étagère, il y avait des croix, des bougies neuves, des coupes et plateaux en argent. Philippe esquissa un sourire.

– Notre Sainte, dit-il. C'est notre Sainte…

Elle était jeune ; ses cheveux étaient bruns et fragiles. Ses mains, qui reposaient sur son ventre, étaient fines et desséchées, comparables à des serres, avec des ongles couleur de vieux porto. Il y avait un ruban autour de son cou, auquel était attachée par un petit fermoir une croix en argent, en partie cachée par sa collerette. Sa robe était déchirée par endroits, mais le plus touchant était les petites chaussettes brunes.

L'émotion le submergea. Sa gorge brûlait. Il plaqua la main sur sa bouche, non seulement pour contenir ses sanglots, mais pour s'empêcher de respirer. Les larmes débordaient de ses yeux. Le bruit, à nul autre pareil, du chagrin, passait à travers ses doigts.

S'il avait dû conserver une seule image de la guerre, c'eût été celle de cette sainte qui était morte depuis des siècles, mais dont le visage – tout jaune et craquelé qu'il fût – donnait l'impression qu'elle était juste endormie et aurait pu se réveiller à tout instant pour lui sourire, comme sa mère venait de le faire dans cette chambre confinée.

– Ah, mon fils que je croyais perdu…

Elle chercha à tâtons son verre sur la table de chevet. Après quoi, elle lui tendit la main, comme à son habitude. Autour d'elle, il y avait quelques livres ; certains ouverts, révélant leurs blocs de caractères.

– Tu te rappelles… Ulysse ? Comment, au cours de ses aventures, certains de ses compagnons ont mangé une plante qui leur fit oublier qu'ils avaient un foyer – un passé – et désirer rester juste où ils étaient… ? C'était sur une île, je crois…

Quinn ne se rappelait pas, mais il acquiesça tout de même. Sa mère délirait.

– La fleur de Lotus… Bien entendu, comme Ulysse prétendait aussi avoir affronté une bande de Cyclopes, je me demande s'il est tout à fait digne de foi…

Feuilletant un livre au hasard, Quinn se percha sur le lit.

– Je te lis quelque chose ?

Mais elle s'était engagée dans le labyrinthe de sa mémoire.

– Je me rappelle comme Sarah aimait ce jeu – lequel, au fait ? – celui avec les os de mouton. Les osselets ! Elle les plaçait sur le dessus de sa main. Elle y jouait pendant des heures, pas vrai ? On aurait dit des rongeurs dans la maison. Voilà le souvenir que j'ai d'elle – entre autres. Ces trucs doivent être encore dans sa chambre. Dans cette boîte, peut-être…

Sarah l'avait souvent harcelé pour qu'il joue avec elle et il l'avait fait tant de fois – à l'ombre d'un eucalyptus, sur la véranda en cas de pluie, et même sous la maison, à même la terre battue, quand il faisait trop chaud. Elle était restée passionnée par ce jeu, elle qui se lassait de tout ; elle avait même un ensemble d'osselets dont chaque élément avait été marqué d'un grossier SW à l'encre bleue – encre qui s'effaçait au point qu'on devait renouveler l'opération de temps en temps.

Ils gardèrent le silence pendant plusieurs minutes. On n'entendait que la pendule.

– Tu as de nouveaux vêtements ? dit-elle.

– Oui.

– Où les as-tu trouvés ?

Il s'agita. Bien que n'aimant pas mentir à sa mère, il répondit qu'il les avait achetés.

– Pas ici, je suppose ?
– Non. À Sydney.
Elle parut satisfaite.
– Quinn, j'ai bien réfléchi : tu devrais partir. Ne reste pas ici. Va dans le Queensland te mettre à l'abri. Ton frère peut t'héberger.
Elle fourragea sous les draps et produisit une enveloppe froissée qu'elle lui mit dans la main.
– Tiens ! Son adresse est au dos. Prends-la !
– Qu'est-ce qu'il en pense ?
– De quoi ?
– Il croit que c'est moi l'assassin ?
Mary hésita.
– On n'en parle pas, mais je pourrais lui écrire. Je pourrais lui répéter ce que tu m'as dit…
Il prit l'enveloppe mais sans la regarder. Le papier avait été beaucoup manipulé.
– Pourquoi es-tu revenu ?
Il en fut consterné.
– Je croyais que tu serais contente !
Mary prit un air affligé et eut une toux grasse.
– Oh, Quinn, bien sûr que je suis contente ! Je te l'ai dit : je ferais n'importe quoi pour vous réunir. Toi, William, Sarah. Mais ce qui est fait, est fait. Tout a changé…
Ce discours l'avait épuisée. Elle retomba sur ses oreillers, se remit à tousser, et Quinn porta le verre à ses lèvres.
– Même l'eau n'a plus le même goût, dit-elle ensuite. Cet endroit a été empoisonné. C'est l'effet du meurtre…
Elle avait l'air plus mal en point que jamais. Elle

s'humectait sans arrêt les lèvres, et son visage se déformait comme si, sous sa peau jaune, les muscles obéissaient à une influence maléfique.

– Comme tu es maigre, dit-elle, passant du coq à l'âne. Et en loques… Certains pensent que c'est la fin du monde. Le pasteur était ici, il n'y a pas longtemps. Il vient causer en se tenant sur la véranda. Il a dit que c'est écrit dans la Bible, comme si ça pouvait me consoler. *L'Éternel te frappera de langueur, de fièvre*. Pestilence. C'est l'un des Quatre Cavaliers de l'Apocalypse, tu sais…

Quinn tapota son pantalon pour en chasser la poussière. Des rumeurs sur la fin du monde couraient depuis quelques mois. Les hommes sur l'*Argyllshire* racontaient d'un air gêné que la Vierge Marie était apparue à trois enfants au Portugal, qu'un vol de sauterelles dévastait la Palestine, qu'on voyait d'étranges lueurs danser sur toutes les mers du monde. C'était une chose à laquelle il ne souhaitait pas réfléchir.

– Qu'en dis-tu, Quinn ? Crois-tu que c'est la fin du monde ?

Il vit dans ses yeux l'expression qui hantait ceux qui craignaient de mourir bientôt, mais qui voulaient néanmoins être rassurés.

– Non, je ne crois pas, dit-il enfin, mais sans conviction.

– Peu importe. Au moins, je verrai ma chère Sarah !

De nouveau, elle but un peu d'eau.

– Veuves, veufs… Orphelin – tu sais que j'ai perdu mes parents de bonne heure. Tu sais qu'il n'y a pas de mot pour désigner celui qui a perdu un enfant ? Bizarre, non ?

Ce serait naturel, après tous ces siècles pleins de guerres, d'épidémies et d'émeutes, mais non, c'est une lacune dans notre vocabulaire. C'est quelque chose d'innommable, d'indicible...

Quinn se garda de remarquer qu'il n'y avait pas de mot, non plus, pour le jeune homme qui avait perdu son unique sœur.

– *Bénis soient les endeuillés,* marmonna-t-elle, *car ils seront consolés.*

Sa mère connaissait un passage de la Bible pour presque chaque circonstance de la vie.

De nouveau, elle le regarda. Une idée venait de l'effleurer.

– Devrais-je avoir peur de toi, Quinn ?

– Maman !

Une brise se faufila à travers les épais rideaux rouges. Elle toussa.

– Si on ne se fiait pas à ses enfants, c'en serait fini de l'espèce humaine. Quand tout s'écroule, la famille, c'est la seule chose qui reste. La famille et Dieu, bien sûr !

Elle soupira et désigna les livres sur son lit.

– Ton père a apporté ça, avant de partir. Je lui avais demandé de la lecture et il m'en rapporte une brassée ! On ne peut pas lui en vouloir, je suppose. Il ne tenait pas à rester ici, avec moi, trop longtemps...

Elle se tut. Quinn examina le livre dans sa main. Au bout de quelques minutes, il se mit à lire à voix haute un passage pris au hasard.

– *Comment le sais-tu ? Tu étais là-bas pour voir ? Et si*

tu étais là-bas pour voir, et que tu n'as rien vu, ça ne prouve pas qu'il n'y en a pas... Et nul n'a le droit de dire que les enfants de la rivière, ça n'existe pas, tant qu'ils n'en ont pas la preuve ; ce qui est tout différent, figure-toi, que de ne pas avoir vu d'enfants de la rivière...

Il continua encore un peu, le temps qu'elle s'endorme, mais comme il refermait le livre, elle rouvrit les yeux et lui tendit les mains.

– Ne t'en va pas. Pas maintenant...

– Maman, tu n'es pas en forme. Je dois m'en aller avant le retour de papa...

– Dis-moi où tu étais avant la guerre. Dis-moi quelque chose de ta vie.

Il soupira.

– Avant la guerre, j'ai travaillé dans une ferme. Ensuite, j'ai posé des rails du côté de Grafton...

La voix de Nathaniel retentit depuis la cour. Sa mère s'étrangla. Quinn entendit des pas lourds sur la véranda.

16

Paniqué, il se glissa derrière l'armoire. Son père se pencha à la fenêtre de la chambre. Quinn se fit tout petit. Son cœur cognait dans sa poitrine, mais il passa inaperçu à la faveur de la pénombre.

– Comment te sens-tu, Mary ?

– Ça va.

– J'ai entendu des voix…

Elle le chassa de la fenêtre et il se recula en titubant avant de se laisser choir dans le fauteuil de la véranda. Visiblement, il était ivre. Sa respiration était laborieuse. De nouveau, il lui demanda comment elle se sentait.

– Le docteur, répétait-il inlassablement, le docteur ne peut pas faire plus…

Il y avait de la peur et des trémolos dans sa voix. Il déclara que cet autre remède qu'il avait commandé à Sydney – il ne se rappelait plus son foutu nom – n'était pas encore arrivé mais ce n'était qu'une question de jours. Tout était si ralenti…

Au bout de quelques minutes il se calma et ils abordèrent d'autres sujets, mais de façon hésitante, comme s'ils craignaient de se blesser mutuellement. Ils parlèrent de la canicule, des agissements d'un gangster à Melbourne. Il lui rapporta les dernières rumeurs relatives à l'épidémie : Joe Ryan avait entendu dire que c'était, en fait, la scarlatine. Mary se moqua de lui.

L'armoire contre laquelle Quinn était tapi sentait la cire et était poisseuse, comme si les couches de vernis appliquées au fil des ans suintaient. Dehors, un portillon grinçait et claquait, grinçait et claquait, remué par le vent brûlant. Il perçut un petit bruit : son père martelant la paume de sa main avec sa pipe afin d'en déloger le vieux tabac. Même s'il ne pouvait pas bien le voir, il l'imaginait, penché pour bourrer sa pipe, le regard dans le vague, mordillant éventuellement sa moustache. Nathaniel Walker était un homme qui répugnait à se lancer dans une querelle et ce rituel de prendre une pincée de tabac, de la tasser et de chercher une allumette, n'avait jamais manqué de tenir à distance l'interlocuteur importun. Puis venait l'odeur suave. Sous l'effet de l'ivresse, son père discourait sur ceci ou cela.

Les paupières de son épouse s'affaissèrent comme deux fleurs surchargées de rosée, puis son regard délirant erra à travers la chambre et tomba, comme à regret, sur Quinn. Sa peau se mit à rougeoyer.

– Au fait, lança-t-elle, sans détacher les yeux de son fils. Qu'as-tu vu exactement ce jour-là, Nathaniel ?

– Quoi ?

Mary se lécha les lèvres.

– Qu'as-tu vu ?

– Quand... Mary ?

– Le jour où tu as trouvé Sarah...

Depuis sa cachette, Quinn pouvait voir non seulement sa mère allongée sur son lit comme sur une barge funéraire, mais aussi la forme spectrale de son père derrière les rideaux. Il paniqua. Était-ce un piège conçu par sa mère ? Était-ce prémédité ? Il secoua la tête, l'adjurant de se taire.

Nathaniel grommela.

– Bon Dieu ! Tu n'avais jamais voulu connaître les détails, Mary. Pourquoi maintenant ?

– Le moment est peut-être venu.

Son père bougonna quelque chose, après quoi Mary réitéra son désir d'apprendre par le menu ce qui s'était passé.

Quinn ferma les yeux. Sur le navire qui les ramenait en Australie après la guerre, il avait vu des hommes devenus aveugles et sourds à la suite de leurs blessures, se traîner tristement à petits pas sur le pont rendu glissant par les embruns. C'était d'étranges personnages, enveloppés de bandages, enfermés en eux-mêmes, chacun habitant un paysage intérieur, face à cet océan qu'ils ne pouvaient ni voir ni entendre. Pour eux, tout était noir et silencieux. Il y avait un soldat de deuxième classe, Little Thommo, qui testait le bastingage de sa poitrine comme pour s'assurer qu'il supporterait son poids et qui, en effet, fut l'un de ceux qui passèrent bientôt par-dessus bord. Quinn les avait observés avec effroi et envie. Quelle terrible liberté, d'être à ce point coupé des rigueurs de ce monde !

Tel un enfant qui craint d'être découvert, il gardait les yeux fermés. À travers son ouïe défaillante, il entendait claquer le rideau. Il avait l'impression que les battements de son cœur pourraient s'entendre de loin et il mit la main sur sa poitrine comme sur un animal effarouché. Le regard de sa mère pesait toujours sur lui.

– C'est si loin, tout ça..., déclara son père.

– Mais tu étais tellement sûr de toi, à l'époque...

– Je le suis toujours.

– Dans ce cas, raconte...

Son père eut un renvoi.

– Je préfère pas... Tu es malade. C'était il y a si longtemps...

– Tu trouves, Nathaniel ? Tu trouves... ? Pour moi, c'est comme s'ils étaient encore ici, avec moi, tous les deux – tous les trois ! Sarah, William et Quinn. Ils vont et viennent, entrent et sortent de ma chambre, me demandent ceci ou cela. Tu te rappelles quand Quinn s'était mis en tête de se faire appeler « Canard » ? Tu lui demandais sans arrêt comment il s'appelait, juste pour le plaisir. *Mon petit canard*, lui disais-tu. Tu te souviens ? Et combien William était grave et sage, même enfant ? La pauvre Sarah...

Mary se mit à pleurer. Nathaniel fumait la pipe. Son silence montrait combien ces larmes n'étaient pas chose nouvelle pour lui. Au bout de quelques minutes, il déclara :

– Je montais Jenny, notre jument. C'était le soir – je suis sûr que tu t'en souviens – et Sarah avait disparu depuis des heures. Elle et son frère avaient disparu pendant tout l'après-midi. Tu sais bien comment ils étaient, ensemble : toujours à comploter comme des sauvages. La faute à Quinn, bien sûr ! Sarah était trop jeune pour qu'on la laisse sous sa protection…

– Ne dis pas de bêtises ! Ils se protégeaient mutuellement.

Son mari se racla la gorge.

– Tu te rappelles la fois où, déjà, ils avaient disparu ? C'était un an plus tôt, ou plus… Alors qu'ils auraient dû être à l'école ? Et que l'idée leur était venue de voler quelque chose chez Oliver Sharp ? Ça, c'était du Quinn ! Et quelqu'un les a trouvés là-bas avec ma bêche et les a ramenés de force à la maison. Heureusement que le vieux Sharp n'avait pas compris ce qui se tramait…

Quinn se rappelait fort bien. C'était une belle journée de printemps ensoleillée, trois ans avant la mort de Sarah. William, dix-huit ans, passait le plus clair de ses journées à aider M. Greely dans son verger. Quittant la maison de bon matin, tous trois se rendaient à pied chez M. Greely, après quoi Quinn et Sarah poursuivaient tout seuls jusqu'à l'école.

Sarah adorait l'école parce que cela multipliait le nombre d'enfants disponibles pour les divers jeux qu'elle organisait. Les passants riaient de la voir juchée sur une caisse, du haut de laquelle elle édictait les règles de sa dernière lubie à l'intention d'une demi-douzaine de gamins qui se tortillaient. Avec son audace et sa soif de nouveautés, elle était plus proche de son père qu'on ne pouvait le penser.

La plupart du temps, Quinn s'arrêtait en route pour jeter des cailloux contre la pancarte en fer-blanc, clouée à un arbre, où était gribouillé un : *Ne pas tirer*. Sur cinq tentatives il parvenait en général à toucher trois fois sa cible.

Sarah suivait cela d'un œil critique.

– Tu gèles… ! dit-elle après la première tentative.

Il avait en effet complètement raté son coup.

– Tu lances toujours trop à droite !

Quinn recommença et cette fois fut récompensé par le *bing* du caillou contre le métal. Sarah applaudit, ravie, et l'encouragea à continuer. Les trois essais ultérieurs furent des succès. À ce moment-là, William était déjà loin et il leur cria de se presser, mais ils l'ignorèrent. Enthousiaste, Sarah affirma que, si jamais il touchait encore la pancarte, ça ferait cinq succès d'affilée.

Une fois de plus, William leur cria qu'il poursuivait son chemin, et Quinn lui signala qu'il avait compris. Là-dessus, William disparut sous les arbres.

– Si tu fais mouche cinq fois de suite, tu gagnes quelque chose ! déclara Sarah en lui tendant un caillou choisi par elle.

– Quoi ?

Elle considéra un brin d'herbe dans sa main.

– Faut d'abord gagner, Pim…

Il observa un silence, puis pivota sur lui-même et jeta le caillou sans même viser. En plein dans le mille. *Bing !* Sarah poussa un cri et se jeta à son cou.

– Alors, j'ai gagné quoi ?

– Une aventure !

Quinn frissonna.

– Non. On doit aller à l'école. Mlle Haylock doit nous attendre.

Sarah se gratta un sourcil et affecta l'indifférence pour l'une ou l'autre possibilité, comme si tout se valait.

– Bon, comme tu voudras…

Quinn considéra les arbres alentour en clignant des yeux. Cette matinée avait débuté comme toutes les autres – flocons d'avoine au petit déjeuner, ouvrir la porte du poulailler, être expédié dehors par leur mère – et voici que, subitement, la journée se cassait comme un œuf. Tel était le terrible cadeau que vous faisait Sarah : elle était capable d'ouvrir des perspectives.

Comme toujours, il se laissa fléchir, et dix minutes plus tard ils s'étaient retrouvés au bord de la rivière, accroupis sous les frondaisons d'un saule pleureur. La berge était boueuse et le fond de sa culotte fut bientôt humide. Son embarras augmenta quand Sarah indiqua la hutte d'Oliver Sharp, non loin de là. À l'entendre, M. Sharp avait enterré une cinquantaine de livres australiennes sous un arbre, dans un sac.

– Il est parti tôt ce matin faire enregistrer sa concession, ajouta-t-elle. En fait, c'est sans doute *plus* que cinquante livres… Imagine !

– Qu'est-ce que tu en sais ?

– Je le sais.

Quinn n'aimait guère ce ton. Moins ses renseignements étaient fiables, plus sa sœur prenait des airs supérieurs.

– En plus, c'est bientôt l'anniversaire de maman et j'ai pensé qu'on pourrait lui en piquer un peu pour acheter un cadeau. Juste *deux* livres… ! s'écria-t-elle comme il protestait. Le prix d'un châle, chez le marchand…

– On ne peut pas faire ça ! C'est mal de voler !

Mais elle s'était approchée d'un buisson et en sortit une bêche qu'elle lui tendit.

– Tiens ! Sers-toi de ça ! Allons-y. Personne n'en saura rien…

Il identifia l'outil comme appartenant à leur père.

– Comment elle est arrivée là ?

– C'est moi qui l'ai déposée hier soir. Ces trucs-là, ça se programme, Quinn. Et maintenant…

Sur ces entrefaites, ses yeux et sa bouche s'ouvrirent en grand, synchronisés comme ceux d'une marionnette. Quinn avait rarement vu sa sœur se montrer effrayée. Toujours sur ses talons, il pivota pour voir la silhouette de M. Sharp se dresser devant eux, la pioche à l'épaule, ses yeux chassieux louchant un peu. Sarah poussa un cri aigu, perdit l'équilibre sur la berge glissante et, moulinant des bras, se rattrapa à une branche du saule qui cassa net et bascula dans l'eau.

Leur père s'emporta contre Quinn quand ils se

pointèrent un peu plus tard ce matin-là, penauds, escortés par Mackey, le constable. L'incident causa un petit scandale à Flint, mais Sarah était débrouillarde et, quelques jours plus tard, cette mésaventure s'était transformée par ses soins en un conte à dormir debout mettant en valeur sa bravoure. Perchée sur sa caisse, elle captivait les autres enfants de l'école en racontant comment elle avait échappé de peu à M. Sharp qui, à ce stade, avait acquis une bosse et des griffes, et qui – plutôt que de l'aider gentiment à sortir de l'eau, comme dans la réalité – avait tenté de lui fendre le crâne avec sa pioche.

Quinn ouvrit les yeux. Il était désorienté. C'était comme si sa sœur avait été de nouveau là. Lui et ses parents l'avaient fait revivre par la force conjointe de leurs imaginations. D'après l'intensité de leur silence embarrassé, il comprit que ses parents avaient eu la même impression. Mais cela ne dura pas. L'instant d'après, elle n'était plus là.

– Ce jour-là, il pleuvait à verse, poursuivit son père, reprenant son récit. Le tonnerre grondait. Jenny avait peur du tonnerre. Je suis allé en ville ; personne ne l'avait vue, mais je suis tombé sur Jim Gracie qui m'a dit les avoir vus du côté de Wilson's Point. Lui-même semblait terrorisé par la tempête...

– Tu vois, intervint Mary, c'est étrange... Les enfants n'avaient jamais joué là-bas, pas depuis que la fille des Gunn s'y était noyée, en 1907. Et cette autre petite – tu te souviens ? – peu après notre emménagement. Sarah détestait cet endroit.

– C'est que son frère l'y avait entraînée, alors. Pourquoi mets-tu en doute mes paroles ? Ce que j'ai vu de mes yeux... ? Je voudrais tout comme toi qu'il ne soit rien arrivé. Mon Dieu, avoir un fils pareil...

– Le crois-tu vraiment coupable ?

– C'est ce que j'ai vu.

– Mais tu ne l'as pas vu... le *faire* ?

– Ton amour maternel t'aveugle.

– L'as-tu vu le faire, Nathaniel ? C'est important.

Ce dernier poussa un gros soupir.

– Non.

Mary ferma les yeux, épuisée, laminée par ses prières tout autant que par son sentiment d'impuissance.

– Mais tu les as vus ensemble, Mary ! Tu as bien vu qu'ils étaient...

– Frère et sœur.

– Toujours fourrés ensemble. Ils se cachaient sous la maison. Tu sais comment on les appelait, à cause de cela ? L'ignores-tu ? Roméo et Juliette. Roméo et Juliette.

– Sottise ! Il n'y a que toi qui disais cela...

– Non ! Ton frère aussi. Il me l'a avoué plus tard. Pour lui, c'est clair que ça devait finir ainsi.

Mary eut une quinte de toux pénible.

– Ridicule ! Robert ne dirait jamais une chose pareille ! Il aimait cette enfant tout autant que nous.

Un silence brûlant s'installa dans la chambre. *Il aimait cette enfant tout autant que nous*. Quinn sentit une faiblesse gagner ses genoux. Il aurait voulu se laisser glisser jusqu'à terre contre l'armoire, mais avait peur de se faire remarquer. C'était une tentation presque irrésistible, mais il resta debout, les épaules basses comme un homme à la potence. Il se demanda si Dieu pouvait lire dans son cœur.

– Bref, poursuivit son père. William était ici, avec toi. Il avait la fièvre. J'ai laissé Jenny attachée près des roseaux, et je suis allé sur la berge. Le niveau de l'eau avait beaucoup monté. J'étais trempé jusqu'aux os. Et je suis entré dans cette vieille remise, et il était là et il... Il tenait le couteau, Sarah gisait par terre et il m'a regardé avec une expression atroce.

Il ralluma sa pipe.

– Mary ? N'en parlons plus, je t'en prie. C'est mieux ainsi. Il nous a fallu du temps pour oublier. Ne remuons pas le passé...

Mary eut un hoquet. Ses doigts labourèrent le drap.

– Mais il nous remue, Nathaniel ! Moi, il me remue !

Ce dernier se leva pour s'approcher de la fenêtre.

– Qu'as-tu ? Bon sang...

Quinn rentra la tête dans les épaules.

– Écarte-toi de la fenêtre, dit Mary. Je t'en supplie. Tu vas attraper mon mal. Écarte-toi.

Son mari recula en chancelant. Il lâcha sa pipe, pesta et se pencha pour la ramasser.

– Et ensuite, Nathaniel ?

Il poussa un soupir excédé. Son pas était lourd sur les planches qu'il arpentait.

– Il n'a rien dit, mais il avait cet air... comme s'il venait d'apprendre quelque chose de terrible. Il était pâle, couvert de sang. Et c'est alors que ton frère s'est pointé et a dit un truc. Quinn a secoué la tête, jeté le couteau et il s'est enfui. Il n'a rien dit, mais il s'est enfui, Mary. Crénom de nom, il courait comme un lapin… !

TROISIÈME PARTIE

LA GROTTE DES MAINS

17

Le lendemain, Quinn regarda sa mère dormir pendant un certain temps. Déjà elle ressemblait à un être d'un autre monde, comme si l'essentiel d'elle-même s'était retiré au cours de la nuit, telle la marée. Son visage semblait rétréci et du sang séché mouchetait sa lèvre supérieure. Au bout de quelques minutes, elle ouvrit les yeux et marmonna :

– Quinn. Dis-moi ce que tu as vu. Ce jour-là...

– Je n'ai rien vu, maman.

– Tu as entendu ce que ton père m'a dit. Hier, je crois. Tu étais bien là ?

– Oui.

– Pourquoi t'es-tu enfui ce jour-là ?

Il lui essuya le front avec un gant humide.

– Je ne sais pas. J'avais peur.

– Mais où es-tu allé ?

Quinn tripota le linge dans ses mains.

– Je me suis réveillé à un certain moment. J'ignore combien de temps s'était écoulé depuis ma fuite – deux semaines ? La terreur initiale s'était volatilisée, mais je ne savais toujours pas quoi faire. J'avais des coupures partout d'avoir dormi par terre et d'être tombé. Mon dos était endolori, contusionné. J'ai cru mourir sur place et, tu sais, ça m'était bien égal. La mort n'avait rien de si redoutable. Je me demandais comment je pourrais vivre sans Sarah, après ce qui lui était arrivé. Je ne savais même pas, à ce stade, qu'on me croyait coupable. C'était trop monstrueux. C'est seulement plus tard que j'ai appris…

« Je ne sais pas ce que j'ai fait. J'ai contemplé le ciel, attendant que les étoiles se détachent de leurs orbites. Le temps passait, même sans pendule. Je dormais sur des pierres. Je regardais les nuages se défaire et reprendre des formes nouvelles. Un chat renfrogné, une bande de chevaux lancés au galop… Jamais le monde ne m'était apparu dans son immensité. J'étais habitué à ce lieu, cette petite ville. Je n'avais jamais voulu m'en aller. Rien ne m'y obligeait.

Pendant quelques jours, des dingos m'ont suivi. Ils ululaient comme pour m'inviter à les rejoindre, et j'ai pensé au *Livre de la Jungle*, que tu nous avais lu. Tu te rappelles ? Je me voyais me mêler à leur meute, comme Mowgli avec les loups, me blottir parmi eux dans leur grotte. Je me disais qu'ils me tiendraient chaud, la nuit, mais j'ai dormi dans un arbre et ils ont disparu. »

Il se souvenait que le plus clair de son temps était employé à rechercher de la nourriture. Il tombait par hasard sur des lapins pris au piège et volait des fruits dans des vergers. On s'habitue à la faim. Il avait appris cela à la guerre, en plus du reste. On parvenait toujours à survivre, si on y tenait.

Il s'était mis à vivre comme dans un rêve, voyant des choses incroyables : un paquebot traçant sa route à travers un champ de blé. Certains matins, il entendait respirer tout contre son oreille. Le cri rauque des oiseaux, la nuit. Il imaginait qu'il était enlevé par deux trafiquants arabes qui l'emmenaient dans la caverne où s'entassait leur butin, et qu'il embarquait sur un bateau qui était ensuite anéanti par un monstre marin dans le golfe Persique. La faim, la douleur, l'angoisse le rendaient fou. Il croyait avoir pénétré dans un autre monde, un monde plus étrange où tout était possible, ce qui était peut-être vrai.

Il regarda sa mère, qui ne bougeait presque plus depuis quelques minutes.

– Si j'ai quitté Flint, c'est que je n'avais pas le choix. Crois-moi : je n'avais rien fait. J'ai erré dans le bush et ma seule idée, c'était fuir, même si je n'avais rien fait. Un couple de personnes âgées m'a recueilli, inanimé, sur ses terres, et soigné jusqu'à ce que je puisse marcher. Comme je n'avais plus de voix, j'ai écrit sur des bouts de papier d'où je venais, ce dont je me rappelais. Ils ont été bons pour moi et j'ai aidé M. Tucker au domaine – couper du bois, garder les moutons. Puis, j'ai appris que j'étais soupçonné d'avoir tué Sarah. Quelle horreur ! Je suis parti travailler ailleurs, comme manœuvre ou alors je m'occupais des chevaux. J'aimais m'occuper des animaux, qui m'appréciaient et me faisaient confiance. À dire vrai, je préférais leur compagnie muette à celle des gardiens de bestiaux ou des ouvriers agricoles qui buvaient et rentraient ivres, la nuit, en vociférant et trébuchant sur leurs baluchons dans le noir.

« En échange du gîte et du couvert, on me confiait des petits boulots. J'ai appris à bâtir une maison, à creuser un puits. À Tamworth, j'ai travaillé pour un maréchal-ferrant. J'ai rencontré beaucoup de braves gens. Aucun ne m'a demandé ce que je faisais seul, sur les routes…

Quinn se tut. Sa mère ne bougeait pas, ne montrait par aucun signe qu'elle l'avait entendu. Bien que soulagé de sentir son souffle quand il se pencha sur elle, il fut effrayé par l'odeur putride de son haleine. Son cœur se gonfla de tristesse.

– Finalement, je suis allé à Newcastle, poursuivit-il quand il en fut capable. Et j'ai embarqué sur un navire qui transportait du fret à Brisbane. Un bateau à vapeur. Le travail était dur, mais gratifiant. J'ai beaucoup appris ; nous étions assez nombreux, mais ma solitude était immense. La nuit, face à l'univers, je croyais entendre le souffle de Dieu dispersant les étoiles de la Voie Lactée. Orion. Le Grand Chien. C'était consolant et terrifiant. J'ai embarqué sur d'autres bateaux et bourlingué sur les mers du monde. J'ai vu les souks du Caire et les déserts de l'Espagne. Fumée épaisse dans la pénombre, odeur de charbon de bois. Des femmes dans des cages en rotin, des lézards attachés par la queue, pendus à des plafonds d'échoppes bondées. J'ai vu des chameaux sur les marchés de Tanger. Maman, sais-tu qu'il existe une herbe, à Shanghai, qui a exactement l'odeur de la foudre ? Et qu'il existe des hommes qui mettent des poudres secrètes dans des flacons, capables de faire disparaître un homme ? Qu'il y a des dragons en Extrême-Orient ? J'ai passé des mois à poser des rails de chemin de fer près de Grafton. Puis, ce fut la guerre, bien sûr. La Grande Guerre, qui devait tout effacer…

Quinn se ressaisit.

– Il m'a fallu du temps pour revenir, maman, mais tu n'as jamais été loin de mes pensées. Même pendant la guerre, surtout pendant la guerre, quand je craignais de mourir à tout instant. Dans ces tranchées glaciales, je pensais à toi, à papa et à William, et à tout ce qui s'était passé. L'idée d'être vu par vous comme un assassin était insupportable. J'ai essayé de m'imaginer ici. Si seulement j'avais eu un tapis volant, un « génie de la lampe » pour exaucer mes souhaits ! Je suis désolé de la façon dont les choses ont tourné, maman. J'ai eu tort de m'en aller. Pardonne-moi…

Mary ne montra pas qu'elle l'avait entendu, mais, enfin, elle ouvrit ses yeux bouffis.

– Merci, dit-elle.

Elle griffa ses draps.

– De l'eau, s'il te plaît…

Quinn s'exécuta, après quoi elle lui fit signe de se pencher.

– Écoute…, chuchota-t-elle. J'ai réfléchi, tu sais. Je croyais tout apprendre dans les livres. Pas seulement sur le présent, mais aussi sur le passé. Cela me permettait de parler avec des gens intéressants, de connaître d'autres univers. Et j'ai appris bien des choses merveilleuses sur les pays étrangers. Les guerres antiques, les cités englouties, d'étranges royautés. Je sais tout des Sept Merveilles du Monde.

Là, elle toussa pendant un moment.

– Mais même si les livres sont une ouverture sur le monde, je crois que les histoires sont aussi une façon de s'en préserver. Tu comprends ?

Quinn sentit des larmes lui brûler les yeux. Il opina.

– Après tout, ajouta-t-elle, d'une voix presque inaudible. Après tout, à quoi bon connaître l'existence des Jardins Suspendus de Babylone ? Ou savoir que la cinquième femme de Henri VIII était Catherine Howard ? à présent que je suis sur mon lit de mort…

– Maman ! Ce n'est pas ton lit de mort. Ne dis pas ça ! Je t'en prie…

– Dis-moi : à quoi bon les histoires ?

Dans la cuvette émaillée posée sur la table de chevet, il prit le gant humide et le pressa contre le front brûlant. Ses mains tremblaient quand il remit le linge dans l'eau tiède.

– Tu vois ce que je veux dire ? Quinn ?

Il se leva.

– Maman, tu as de la fièvre. Je vais changer cette eau. Elle n'est plus assez fraîche…

Elle lui attrapa le poignet avec une faiblesse pitoyable. Il la dévisagea, frappé d'horreur en comprenant ce qui se passait.

– Alors, tu ne me crois toujours pas… ?

– Ce n'est pas ça…

– Quoi, alors… ?

Elle mit un certain temps à répondre.

– Une mère sent quand son enfant lui cache quelque chose. Quinn, dis-moi ce que tu as vu ce jour-là. Je dois savoir avant de mourir. Qu'as-tu vu ?

Il resta silencieux, le gant dans la main. La question tant redoutée.

– Quinn ?

– Il n'y a rien de plus à te dire. C'est moi qui l'ai trouvée et elle était déjà morte. L'assassin avait filé depuis longtemps.

– Très bien…

Elle tâtonna sous les draps et lui remit une boîte à thé en fer-blanc.

– Tiens, prends. Il y a trente livres. Peut-être plus. Tout notre avoir. Prends et va-t'en, Quinn…

Il ouvrit la boîte. En effet, il y avait une liasse de billets maintenus par une ficelle.

– Il faut t'en aller avant qu'ils ne te trouvent. Laisse-nous, mon fils. Va vivre ta vie. Tu es libre. Cet endroit ne nous a pas réussi.

– Mais je ne peux pas te laisser. Je ne peux pas accepter !

– Tu le peux, et tu le dois. J'ai prié pour ton retour mais aujourd'hui je veux que tu partes, que tu t'en ailles pendant qu'il en est encore temps. Tu as fait ton devoir en revenant. Ils te tueront, s'ils te trouvent. J'ai besoin de te savoir hors de danger. Par pitié ! J'ai déjà perdu un enfant, je ne veux pas revivre ça. Est-ce difficile à comprendre ?

Il prit les billets et les tint dans sa paume. Jamais il n'avait vu autant d'argent. Une petite fortune. Il se perdit dans sa contemplation. Elle avait raison : ce n'était qu'une question de jours avant que son oncle ne les trouve, lui et Sadie, et alors leur sort en serait scellé.

Il se pencha pour baiser son front.

– Es-tu sûre, maman ?

– Je suis sûre.

Elle manquait d'air.

– Ça ira… ?

– Pars au plus vite. Promets-le-moi…

Il tripota la liasse.

– Quinn, tu promets ?

– Croix de bois, croix de fer…

Il lui dit adieu et guetta une réponse, mais elle n'ajouta plus rien. Il changea l'eau de la cuvette, remplit de nouveau son verre et resta encore un peu à son chevet avant de s'éclipser.

Quand il revint à la cabane, une heure plus tard, Sadie était assise en tailleur, par terre, et rongeait une cuisse de poulet. Elle ne remarqua pas sa présence pendant quelques secondes, puis releva la tête.

– Comment va votre mère ?

Il se mit sur ses talons. Cette dernière entrevue l'avait vidé. Il se sentait épuisé.

– Pas bien. Ça m'étonnerait qu'elle en ait encore pour longtemps.

– Vous avez pleuré…

– Oui.

Elle jeta l'os et se lécha les doigts, eut un grognement compatissant.

– Avant de mourir, ma mère disait des trucs curieux. Que mon père était revenu la voir en volant dans les airs.

Elle remua ses coudes.

– La fièvre… Ils ne savent pas toujours ce qu'ils disent. Ginny Reynolds a déliré pendant deux jours. Elle voyait des petits hommes bleus cavaler autour du lit, et…

– Sadie, il faut s'en aller. Partir. Immédiatement.

– Impossible. J'attends Thomas. Vous êtes au courant.

– Et le traqueur ? Il peut revenir d'un instant à l'autre et Dalton te pourchassera. Nous pourchassera. Ils nous tueront.

– Il faut attendre encore un peu.

Cette gamine était si horripilante.

– Et si le traqueur rentre avant Thomas ? Qu'est-ce qu'on fera ? Alors, il sera trop tard.

Elle fronça les sourcils, n'ayant apparemment jamais réfléchi à cette éventualité.

– J'ai de l'argent, ajouta-t-il, pressé de plaider sa cause. On peut aller à Sydney. Dans le Queensland, même !

Elle le regarda.

– Je connais un moyen pour savoir quand, au juste, le traqueur sera de retour.

– Comment ça ?

Cette question fut purement et simplement ignorée.

– De toute façon, il y a des choses à faire en priorité.

– Lesquelles ?

Elle vint s'accroupir devant lui, apportant son odeur de citron, d'humus et de transpiration enfantine. Elle l'examina de près, de ses yeux sombres, avant de lever la main pour caresser sa barbe. Quinn eut un léger recul. Sadie

Fox, si bouillonnante d'énergie qu'il redoutait de se brûler à son contact.

– Des choses…

Elle s'en alla en sautillant, fourragea dans la pièce à côté et revint s'installer devant lui, à même le sol. Puis elle prit son visage et le tourna de-ci, de-là. Ensuite, repoussant très délicatement son menton, elle lui fit renverser la tête en arrière, exposer sa gorge. Du coin de l'œil, Quinn vit miroiter un rasoir.

Il se rétracta et fit mine de se protéger, mais déjà la lame était sur sa peau. Sadie l'avait empoigné par la chemise, empêchant tout mouvement brusque.

– Qu'est-ce qu'il y a ? dit-elle.

Quelque chose se balada sur sa gorge – une fourmi ou peut-être une coulée de sueur.

– Vous avez cru que j'allais vous tuer ? Vous égorger ? Vous y verriez un inconvénient, Quinn Walker ?

Ils se dévisagèrent pendant quelques instants, elle ricanant, lui pétrifié, puis elle appliqua de nouveau la lame sur sa peau et entreprit de tailler sa barbe. Elle procédait en silence, pinçant les lèvres par empathie tandis qu'il contemplait les taches d'humidité et les toiles d'araignées au plafond. Le rasoir raclait ses joues et sa gorge. Sa tâche achevée, Sadie le lâcha et écarta le rasoir. Quinn reprit sa posture avachie sur ses talons.

– Il fallait arranger votre barbe, dit-elle en repliant le rasoir qu'elle lui tendit.

Ensuite, elle chassa les poils tombés sur sa chemise et

les recueillit dans sa paume comme s'il s'agissait d'une poignée de limaille de fer.

– Vous êtes presque prêt, à présent…

– Prêt… à quoi ?

Mais elle se contenta de lui sourire, comme si c'était une question idiote puisqu'il connaissait déjà la réponse.

18

Quinn était allongé sur le dos. C'était la fin de l'après-midi, il faisait une chaleur accablante. Une fois de plus, il se demanda ce qu'il fabriquait dans cette étrange baraque, avec cette Sadie Fox. Elle était en train de chanter. Bien que pitoyables, ses chevrotements appliqués le firent sourire. Elle lui avait dit que les Donovan avaient un phonographe et que, lorsqu'ils en tournaient la manivelle, le dimanche soir, elle se cachait parfois sous leur fenêtre, derrière le rosier. L'imaginer blottie contre le mur d'une maison étrangère était émouvant.

À quoi bon s'inquiéter ?
Ça n'a jamais servi à rien
Alors mets dans ta poche tes soucis
Et souris, mon garçon, souris

Les paroles firent place à un exubérant fredonnement, après quoi elle attaqua un autre couplet. De toute évidence, elle ne prêtait aucune attention aux paroles.

Elle se tut et s'ensuivit le bruit, faible au début, de ce qui ressemblait à une galopade de souris qui auraient eu des chaussures ferrées. Surpris, il se redressa. De nouveau, des fredonnements, suivis de quelques mots décousus. Il mit un doigt dans son oreille. Son ouïe ne s'était pas améliorée. Il se releva pour aller se camper au seuil de l'autre pièce.

Même si elle était de dos et semblait absorbée par son activité, il devina qu'elle avait senti sa présence.

Elle éparpilla des objets par terre et, souriante, se tourna vers lui.

– Tu veux jouer ?

– À quoi ?

Elle rit, révélant des dents éclatantes, comme la lame d'un couteau.

– Tu sais bien.

Quinn éprouva un malaise. Ses paumes étaient moites et glacées.

Sadie ramassa des objets et montra sa main. Il y avait là cinq ou six gros os – des vertèbres de mouton.

– Aux osselets, bien sûr !

Il refusa d'un geste.

– Je n'y connais rien...

– Mais si !

– Mais non.

– Si !

– Comment saurais-je... ?

Son ton était plus agressif qu'il ne l'aurait voulu, et il le regretta aussitôt.

Imperturbable, elle lui fit une démonstration.

– Tout le monde connaît. C'est très répandu. On les lance en l'air et on doit les rattraper sur le dos de la main. Ensuite, on recommence et on doit les rattraper dans la paume. Comme ça. Non, comme *ça*. Tu as dû oublier, c'est tout. Ensuite, celui-là… Comme ça… et comme *ça*… Sur le dos de la main. Ça te revient, maintenant… ?

Quinn la regarda refaire sa démonstration. Elle lança la demi-douzaine d'osselets en l'air et en rattrapa deux sur le dos de sa main. Ces deux-là, elle les jeta en l'air et les rattrapa dans sa paume. L'idée était de jeter ceux qui avaient déjà été rattrapés et d'essayer de ramasser les autres – le plus grand nombre possible – avant de récupérer au vol les premiers. Il savait qu'il existait des variantes plus compliquées, en fonction de la dextérité de chacun. Le pont, la barrière, l'araignée.

Il se sentit attiré dans la pièce, comme si cet espace – en fait, toute la maison – venait de bouger sur ses fragiles bases. Un effet de lumière et il se retrouva agenouillé auprès d'elle, oppressé. Elle lui prit la main, sans rencontrer de résistance. Sa paume était douce et moite comme de la pâte à pain et ses ongles, rongés jusqu'au sang.

Pendant plusieurs minutes elle jacassa, disant combien comme ce serait amusant de jouer ensemble.

– Ça fait passer le temps et développe l'adresse. Ce jeu existe depuis des milliers d'années, tu sais…

Il l'observa tandis qu'elle parlait. Ses lèvres étaient crevassées et elle avait un grain de beauté sur la joue gauche qu'il remarquait pour la première fois.

– Qui es-tu ? demanda-t-il d'une voix tremblante.

Sadie s'esclaffa et examina les osselets.

– Je l'ai déjà dit…

Quinn sentait la chaleur de sa cuisse contre la sienne. Il toussa dans sa main. Il se sentait intrigué, électrisé.

– Non. Qui es-tu, vraiment ?

Elle le regarda, comme prise à son propre jeu, puis ses lèvres – son visage tout entier – se fendirent d'un grand sourire.

– Je suis une petite débauchée !

– Quoi ?

Ayant repris son sérieux, elle se remit debout et passa une boucle de cheveux derrière son oreille.

– Je suis Sadie Fox. C'est tout.

– Où est ta famille, Sadie Fox ?

Elle lissa sa robe, souillée par des saletés, de la nourriture, du sang de poulet.

– Ils sont morts de la peste. Ça aussi, je te l'ai dit. La Peste Bubonique, si c'est bien son nom. Ma mère en est morte, et mon père était parti avant ma naissance. C'est mon frère qui s'est occupé de nous, et j'ai pris le relais quand il est parti à la guerre. Mais il va bientôt revenir et il saura quoi faire, contrairement à toi. Il m'aidera, lui !

Il ignora le sarcasme latent.

– Thomas est au courant, pour ta mère ?

Elle posa sur lui un regard sombre et marmonna quelque chose dans sa barbe.

– Quoi ?

Elle redressa le menton, rien qu'une fraction de

seconde, mais qui suffit à montrer le dédain dans lequel elle le tenait soudain.

– Si tu ne peux pas m'aider, pourquoi tu ne t'en vas pas ?

– Non, je…

– Tu sais ce qu'il lui a fait.

– Quoi ? Qui ?

Il se mit à rouler une cigarette de ses doigts peu coopératifs. Dans la pièce l'atmosphère s'était modifiée, brusquement tendue. La lampe à gaz grésillait.

– Ça t'est égal, ce qui est arrivé à Sarah ? insista-t-elle, comme il ne répondait pas.

Il jeta sa cigarette par terre.

– Bien sûr que non ! C'était ma sœur !

– Tu ne peux pas te cacher ici éternellement. Ils te trouveront. Ils nous trouveront !

– Tu es folle.

– Et toi, tu as la trouille.

Il l'ignora et ramassa sa cigarette mal roulée, l'alluma. La fumée irritait sa gorge mais le calma tout de même.

Sans bouger du seuil, Sadie souleva son pied gauche et en examina la plante, où s'étaient incrustées des échardes de bois, conséquence du fait de marcher pieds nus. Elle écarta les cheveux de ses yeux.

– Il l'a emmenée à Wilson's Point, commença-t-elle d'une voix monocorde. Tu vois la vieille remise ?

– Bien sûr que oui ! C'est moi qui l'ai trouvée, je te le rappelle…

De nouveau, il tira une bouffée et sentit son cœur donner de la bande sous sa cage thoracique. Il aurait bien aimé qu'elle se taise : elle n'arrêtait jamais.

– Elle était toute seule alors que tu étais censé veiller sur elle. Elle était jeune. Avait-elle peur du tonnerre ? De la tempête ? Ton oncle lui a peut-être proposé de la mettre à l'abri, et c'est pourquoi elle l'a suivi… ?

Quinn se leva et secoua sa jambe gauche engourdie. Il traversa la pièce obscure, quittant presque le périmètre éclairé par la lampe. Au mur il y avait une image froissée, guère plus grande qu'une carte postale : une aquarelle représentant un paysage anglais doux et verdoyant, avec vaches et moutons, fermier rougeaud labourant son champ. Des nuages cotonneux ponctuaient le ciel bleu et dans les trépidations de l'éclairage, à condition de cligner des yeux, il pouvait animer la scène – suivre la progression laborieuse du fermier, entendre le chant des oiseaux, humer l'odeur de la terre. Une vision de paix, à des milliers de kilomètres de là.

– Peut-être qu'ils ont joué aussi ? poursuivit Sadie. Tu sais combien elle aimait jouer… Mais après, il l'a fait se déshabiller et elle a tenté de s'enfuir.

Quinn fonça à travers la pièce, jusqu'à la dominer de toute sa hauteur. Il aurait bien aimé la frapper, durement, mais se contenta de jeter sa cigarette et d'enfoncer les mains dans ses poches.

– La ferme !

Sadie ne répliqua rien, mais prit un air suffisant. Elle tripota une brindille, la tordant comme ceci et comme cela dans ses mains.

– Qu'en sais-tu ? lui lança-t-il. Tu n'étais même pas née !

– Mais si !

– À peine…

Elle se laissa aller contre le chambranle de la porte.

– Je te l'ai dit : il y a des choses que je sais. J'écoute les gens. Je sais qu'il y a des esprits mimi qui vivent dans les rochers, qu'il y a un vent appelé le Mistral qui rend les gens fous. Une araignée qui siffle. Que ton père t'a trouvé avec elle. Je sais des choses curieuses. Qu'il y a une plante qui crie quand on l'arrache du sol, que les doux hériteront de la terre, que le premier homme à parcourir dix-sept kilomètres en aéroplane était Delagrange, le 22 juin 1908, à Milan.

– Ce n'est pas une réponse.

Sadie haussa les épaules, hors d'haleine après cette tirade. Quinn mit son visage tout près du sien. Il décela une odeur aigre. Elle avait de la terre sur le cou.

– Bon sang, qui es-tu donc ?

– Elle s'est mieux défendue que les autres filles qu'il a tuées. Alice Gunn et une autre avant elle. Il y a très longtemps. C'est pourquoi il s'est servi du couteau.

– Tais-toi !

Elle resta imperturbable.

– Pourquoi es-tu revenu ? Pourquoi ne pars-tu pas… ? Eh bien… ?

Quinn se massa la barbe. La lanterne grésillait, comme prête à s'éteindre mais la flamme reprit de la vigueur. *Pourquoi es-tu revenu ?* Question toute simple. Il toisa la gamine, avachie dans cette lumière laiteuse. Cette petite. Cette curieuse enfant, qui attendait d'un air buté, en se rongeant l'ongle du pouce.

– Je ne voulais pas revenir, dit-il. Je savais qu'ils pensaient que c'était moi. Mais j'ai été appelé. Elle m'a appelé.

Il essuya son visage en sueur. Il était embarrassé. Plongeant la main dans sa poche, il tira l'étui à allumettes qui contenait le message griffonné par la fille de Mme Cranshaw, le soir de la séance de spiritisme. Sadie se repoussa du chambranle et passa la langue sur ses lèvres, comme si elle s'attendait à voir apparaître un bonbon.

D'une main tremblante, il ôta le bouchon et retira le billet. D'avoir été tant de fois plié et déplié avec ferveur, il était tout fin et tombait en lambeaux. L'étui lui glissa entre les doigts et tomba par terre. Il garda le petit mot plié dans sa main, ne sachant trop qu'en faire.

Sadie se rapprocha. Elle leva la tête vers lui, et prononça les mots qu'il avait si souvent lus qu'ils en étaient gravés dans sa mémoire :

– *Ne m'oublie pas. Reviens me sauver. Je t'en supplie.*

Son cœur se déroba. Il restait là bêtement, le bout de papier toujours plié dans ses doigts. Il se pencha pour ramasser l'étui et, sous le regard attentif de Sadie, y rangea le billet. S'ensuivit un silence interminable.

– Tu vois ? Tu es là pour m'aider, moi !

Quinn subit une plongée vertigineuse – un coup de tonnerre, un rire masculin, le reflet d'une boucle de ceinturon. Tout était là, dans un flash aussi violent qu'un coup à l'estomac. Les genoux terreux de sa sœur, l'odeur de bois imbibé d'eau, un bouton rouge arraché de sa robe. Il chancela, se ressaisit. Des formes flottaient dans le demi-jour.

– Tu dois le faire payer, murmura-t-elle sur le ton de la conspiration. Surtout que tout le monde te croit coupable.

Elle souleva un bout de plancher cassé et sortit une tabatière, qu'elle ouvrit de force avec une certaine hâte. Elle fourragea à l'intérieur.

– Tiens…

Un bouton rouge et carré, un morceau de dentelle souillé. Estomaqué, il secoua la tête pour indiquer qu'il ne comprenait pas.

Elle tenait le bouton entre le pouce et l'index.

– Ça ne te rappelle rien… ?

Il fit mine de le prendre, mais se ravisa, effrayé. Cela ne finirait-il jamais ?

Sadie insista.

– Tiens ! Prends donc ! C'était à ta sœur ! Tu te souviens que ta mère l'avait cousu sur sa robe ? Un porte-bonheur. Ton oncle garde ces trucs-là. Comme un trésor.

– Tu es allée chez lui ? Es-tu folle ? Il faut garder tes distances. C'est un monstre.

Elle brandit la dentelle.

– Ça, c'était à Alice Gunn. Un bout de sa robe. Ça s'est déchiré. Elle aussi, il l'a tuée. Il y a des années. Elle ne s'est pas noyée comme on le croit. Il l'a tuée, puis jetée dans le lac.

À présent, le bouton était dans la main de Quinn. Il l'examina. En effet, cela ressemblait à l'un des fétiches de

Sarah. Un coin était écaillé. Il mit un moment à retrouver sa voix, comme si le souvenir de cette journée horrible lui nouait de nouveau la gorge.

– J'aurais pu la sauver, dit-il, conscient du pathétique de cette affirmation, après tout ce temps. Si j'avais été plus courageux.

Sadie s'approcha, avide.

– Que s'est-il passé ?

– On était en train de jouer à son jeu préféré à ce moment-là – les pirates abandonnés sur une île déserte peuplée de monstres géants. C'était une journée ensoleillée, et nous étions au nord de l'Épervier, au niveau du bouquet de pins, à environ un kilomètre six cents de notre maison. On avait été dehors toute la matinée, et je suis rentré chez mes parents pour me procurer de quoi manger. J'ai volé un gâteau aux raisins secs que Mme Smail avait apporté. Papa était au travail. William était malade et alité, et maman lui lisait *Huckleberry Finn*. Je ne me suis pas montré, de peur qu'elle ne m'appelle, et j'ai attendu à la porte. Maman lisait le passage où Huck trouve le canoë dans la rivière, et comme j'aimais l'entendre lire, je suis resté. J'ai perdu la notion du temps…

Il se rappelait la chaleur caressante de cette voix.

– Quand je suis reparti, le temps avait changé. Une tempête menaçait. Je me rappelle avoir entendu le tonnerre. Tu as raison : Sarah craignait le tonnerre, – elle qui n'avait peur de rien. Et quand je suis arrivé là-bas, elle avait disparu.

Il y avait le ululement du vent dans les pins, les

picotements des aiguilles que le vent projetait contre son visage. Au sol, presque enfouie sous la couche de feuilles mortes, il vit l'une des chaussures de Sarah – rouge avec la boucle rouillée. Il y avait des traces de lutte...

Il se roula une autre cigarette.

– Tout de suite, j'ai été épouvanté. J'ignore pourquoi. Une impression. Ce soulier. Il y avait dessus une myriade de fourmis, tu sais comme elles s'activent quand il va pleuvoir.

– Elles savaient peut-être où elle était passée...

– Alors je me suis assis par terre. Je ne savais pas quoi faire. J'ai crié, mais en vain. C'était comme si elle avait été balayée par le vent. Impossible d'entendre quoi que ce soit, un peu comme pendant la guerre. Ce boucan terrible, le tonnerre qui grondait...

Il se frappa le tympan.

– Ce bruit, juste entre les oreilles...

Il alluma sa cigarette. Derrière les larmes qui perlaient au bord de ses yeux, Sadie semblait immatérielle, comme sur le point de s'évaporer à tout instant. Il tira une bouffée et toussa.

– Au bout d'un moment, je me suis lancé à sa recherche, en décrivant des cercles de plus en plus larges. Je suis allé en haut de la crête d'où l'on peut voir la vallée, mais il pleuvait si fort qu'on n'y voyait pas grand-chose. J'étais trempé jusqu'aux os. Puis, il y eut un éclair au-dessus de l'église, et j'ai vu trois silhouettes se hâter de traverser le paddock près de chez Sully.

Il ferma les yeux pour mieux se rappeler la scène.

– Deux hommes entraînaient Sarah. Mais au moment où je suis arrivé sur place, il n'y avait plus personne. J'ai sauté la barrière, allant dans la direction qu'ils avaient prise. J'ai cru entendre crier, mais c'était peut-être la tempête. Ou autre chose – des animaux, le vent…

– Mme Crink… ? La foudre l'a rendue aveugle, ce jour-là.

Il acquiesça et se tut. Malgré les questions insistantes de Sadie, il fut incapable de lui dire qu'au bout d'une quinzaine de minutes, il avait réussi à identifier la source des cris comme étant la vieille remise de Wilson's Point. Qu'il s'était approché à travers la pluie battante et avait vu, par un trou dans les planches, son oncle forcer sa sœur – sa sœur qui donnait des ruades tandis que l'autre homme lui retenait les bras et tentait de la bâillonner. Ses cuisses étaient blanches comme du lait. Par terre, tout près, il y avait deux carabines mouillées. Après, Robert se retira et remit son pantalon en riant et à ce moment-là Sarah hurla et lui envoya un coup de poing. Sur ce, l'oncle lui planta un couteau de chasse dans le cœur. Quinn étouffa un cri et se recula de la cloison. Il y eut un coup de tonnerre, prolongé par des roulements. Il entendit le bruit sourd du soulier de Sarah tombant sur le sol détrempé, la respiration des deux hommes qui se chamaillaient telles deux créatures démoniaques. *Elle me connaissait de toute façon*, disait Robert pour contrer les objections de l'autre. *J'étais obligé…*

Cette aphasie lui rappela l'état qui avait été le sien, ensuite, quand il avait erré dans le bush, dormant dans les creux du sol ou en haut des arbres. Il tira une bouffée.

Sadie se gratta la joue.

– Pourquoi ne pas l'avoir sauvée, alors ? Si tu étais là…

Quinn la dévisagea à travers ses larmes. C'était tout de même assez clair…

– Encore une fois : parce que j'étais terrorisé ! J'avais peur de mon oncle. Tu vas rire et me prendre vraiment pour un lâche, mais mon unique défense contre lui, c'était justement Sarah. Elle lui tenait tête. C'était la seule à connaître sa vraie nature, et il savait cela. Et aujourd'hui, j'ai peur de tout…

« Plus courageux, j'aurais saisi leurs carabines et je les aurais abattus. Ça n'aurait été que justice. Mon Dieu, tu sais ce qu'il a dit ? Il a dit : *Bonne journée pour la chasse, finalement. C'est mieux que les lapins.* J'ai entendu ça malgré la pluie ; à l'époque je n'étais pas encore à moitié sourd. Et l'autre a répondu. Ils se sont disputés ; la voix était rauque, comme une charnière rouillée. J'ignore qui c'était. Un étranger, je suppose…

Ce souvenir le fit frissonner.

– Ensuite, ils sont partis. Je les ai vus s'en aller et puis je suis entré, certain qu'ils ne reviendraient pas. J'ai retiré le couteau du corps. Elle était dans mes bras. Et c'est là que mon père est arrivé. Ensuite, Robert est revenu, et je me suis enfui sans réfléchir. J'avais si peur, il faut que tu comprennes, si peur…

Pendant quelques minutes, plus personne ne dit rien. Sadie s'était calée contre la porte, et elle promenait ses doigts sur les aspérités du chambranle.

– Qu'est-ce que tu vas faire ?

– Je ne sais pas. Je ne peux pas dire la vérité à ma mère. Pas plus à elle qu'aux autres. On ne me croirait pas. Et je n'ai aucune preuve. Je sais ce que j'ai dit, mais…

– Alors, tu dois le tuer.

– C'est impossible, je te le répète.

Elle s'écarta tout doucement.

– Mais tu as promis de me protéger ! Et s'il s'en prend à moi ? Tu as dit que tu voulais être plus courageux, mais si tu ne peux pas me protéger, alors pars… Va-t'en. J'attendrai Thomas ici, toute seule. Ton oncle ne me trouvera pas. J'irai vivre dans les grottes.

Elle désigna l'extérieur.

– Allez, va-t'en…

Quinn redoutait de reprendre sa vie de vagabond, s'arrêter ici et là pour trouver du boulot, partager le pain des étrangers, n'avoir aucune attache. Cette seule idée… Quel gâchis que son existence. Et, pire, elle serait seule ici pour toujours, à attendre un frère qui ne reviendrait jamais – à la merci des bêtes sauvages, des intempéries, de Robert, de toutes les menaces du monde. Non. C'était trop tard. Ils avaient besoin l'un de l'autre.

– Tu te souviens ? dit-il. Tu te souviens, la fois où on a pris une bêche pour déterrer l'argent que M. Sharp était censé avoir planqué sous un arbre ? Tu as glissé et tu es tombée à l'eau. C'était pour faire un cadeau à maman, pour son anniversaire…

Elle haussa les épaules.

– Ne me demande pas de partir, dit-il.

Elle gardait le silence, irritée. Il passa les doigts dans sa barbe.

– Quelle tête j'ai… ?

Cela sembla la dérider et elle prit un air satisfait.

– La tête d'un trappeur, d'un justicier !

Elle se retourna, mais marqua une pause et lui jeta un coup d'œil par-dessus son épaule.

– Au fait, j'ai une question : c'est quoi, « lucifer » ?

La main de Quinn passa sur les contours hérissés de sa barbe. La question l'avait pris au dépourvu, mais à l'idée d'éclairer cette pauvre fille il éprouva une pointe de fierté.

– C'est le diable, évidemment ! L'ange déchu, chassé du paradis par Dieu. Son rôle est de nous faire perdre la foi, de nous induire en tentation, de nous amener à renoncer à notre meilleure part…

Elle resta impassible.

– Pourquoi ?

– C'est sa nature ! Tu n'es jamais allée à l'église ? Ta maman ne t'y a jamais emmenée ?

– Ben non…

– À l'origine, Satan était au paradis avec Dieu, mais son cœur était plein d'iniquité et…

– C'est quoi, « *inquité* » ?

– Iniquité. C'est le mal.

Il ne comprit pas sa réponse.

– Quoi ?

– Pourquoi Dieu ne l'empêche pas de faire le mal ? Puisqu'il est tout-puissant… Il aurait pu mettre fin à la guerre, à l'épidémie. Ma mère serait toujours là, Thomas sera rentré chez nous. Même ta sœur…

Sa phrase resta en suspens. Quinn soupira.

– Je ne sais pas. Je ne me rappelle pas. Enfin, je veux dire : il y a une explication… Il y a longtemps que je ne suis allé à l'église. La guerre a tout interrompu…

Ce n'était pas tout à fait vrai. À l'hôpital de Harefield, des offices religieux étaient célébrés tous les dimanches, mais les rares fois où il y avait assisté il avait été incapable de se concentrer, distrait qu'il était par ce qu'on pouvait voir par les fenêtres de la salle, les jolies infirmières, la nuque des soldats. Au front aussi, des aumôniers étaient affectés aux bataillons. Jadis il aurait pu se rappeler un passage de la Bible en guise d'explication, mais plus maintenant. Finalement, c'était une excellente question.

– Je ne me rappelle pas, dit-il.

Elle parut mécontente de sa réponse bredouillée mais attendit poliment. Visiblement, elle comptait sur lui pour résoudre ce problème.

– Qu'est-ce que ça peut te faire, d'ailleurs ? dit-il sèchement.

– Oh, c'est parce que… c'est dans la chanson.

Sur ce, elle tourna les talons et quitta la pièce.

Quinn n'avait aucune idée de ce qu'elle voulait dire. Quelle chanson ? Il ramassa un osselet. D'être resté aussi longtemps accroupi, il avait mal aux chevilles. Il n'alluma ni bougie ni lampe. Les ténèbres s'épaississaient tout autour de lui, s'accumulaient sur les rebords des fenêtres, dans les plis de ses vêtements et dans ses cheveux. Le crépuscule était son moment préféré de la journée, à cause de cet instant où l'on pouvait s'imaginer qu'il allait faire plus clair – et non plus sombre.

Mais c'était très bref, et alors qu'on n'y voyait déjà plus grand-chose, il ouvrit son poing et porta le plat de sa main à hauteur de ses yeux où il put distinguer, assez décolorée, une marque à l'encre sur le côté de l'osselet : *SW*. Il contempla l'inscription, soulagé, troublé. La fillette se remit à chanter :

Alors mets dans ta poche tes soucis
Et souris, mon garçon, souris
Tant que t'as une « lucifer » pour allumer ta clope
Souris, mon garçon, souris

Et en effet, telle une rivière dont les eaux montent, Quinn sourit. Mystérieusement, et il valait sans doute mieux ne pas savoir comment, ils s'étaient mutuellement fait surgir du néant. Il en ressentit un étrange frisson de plaisir.

19

Ce soir-là, après un repas composé de corned-beef et de pain rassis, Quinn était assis sur un rondin, à fumer une cigarette, quand Sadie se matérialisa à ses côtés. Comme à son habitude elle portait sa robe crasseuse et était pieds nus. Ses membres bruns étaient presque invisibles, et au début il ne vit qu'un visage au-dessus d'une robe sans rien dedans. Elle s'était mise à porter la musette militaire en bandoulière, et cela lui donnait l'air d'un contrôleur susceptible d'exiger de voir sa carte d'identité avant de l'autoriser à pénétrer dans son monde puéril.

Elle lui tendit sa tunique de l'armée, qui était aussi molle que la fourrure d'un animal sauvage dans son poing.

– Tiens, mets ça !

– Quoi ? Pour quoi faire ?

– J'ai besoin de toi. On doit aller chercher quelque chose. Il faut être prêt à tout. C'est une aventure, une mission. Comme à la guerre. Comme ça, nul ne te verra.

Quinn tira une ultime bouffée. Autour d'eux on entendait le zinzin insistant des moustiques. Malgré lui, il se sentit ému. Une aventure. Il endossa la tunique.

– Entendu. Ça marche !

De joie, Sadie battit des mains et, peut-être pour la première fois, elle eut un sourire sans arrière-pensée. Encore plus étonnant, elle se pencha pour lui faire la bise avant de le tirer par le bras.

– En route…

– Où va-t-on ?

Mais déjà elle avait tourné les talons et détalé, ses jambes formant des taches claires dans l'obscurité. Il avait du mal à la suivre et la perdit de vue plusieurs fois, mais elle réapparaissait toujours pour le guider et ils finirent par arriver au sommet d'une petite colline où ils s'arrêtèrent pour reprendre haleine.

Quinn mit un moment à se réorienter, mais au bout de quelques minutes les formes massives des bâtiments de Flint émergèrent des ténèbres à sa droite. Il distingua la flèche de l'église anglicane dans la grand-rue et l'institut de mécanique. Il entendit gazouiller la rivière et vit des lampes brûler aux fenêtres. Ils devaient être au nord-ouest de la ville, entre la rivière et les anciens puits de mine. Un chien aboya, imité par un autre.

De la musette, Sadie tira une gourde – matériel militaire – but bruyamment au goulot, et la lui tendit.

– Où as-tu trouvé ça ?

– Chez Jack Fraser. T'en veux ?

– Encore un larcin ?

Elle lui fit face. Des gouttes brillaient sur son menton.

– M. Fraser est mort à la guerre. C'était dans son tiroir depuis des lustres.

Elle avait annoncé son décès comme si ça n'avait pas plus d'importance que, disons, si ce pauvre Jack avait perdu une miche de pain. Ce devait être des plus inhabituels, ces jours-ci, d'apprendre d'un jeune homme qu'il était vivant et valide.

Il prit la gourde et se désaltéra.

– Qui d'autre est mort ? À la guerre, je veux dire…

Sadie prit un air désabusé. Comme le fait d'essayer les escarpins de sa mère pour une fillette, c'était une expression d'adulte pas encore maîtrisée, et qui aurait pu être comique si ça n'avait indiqué que les morts étaient trop nombreux pour qu'on en fasse le total.

– Voyons, dit-elle en comptant sur ses doigts. Billy Quail a été abattu. Robert Sully. M. Gollings qui habitait du côté de Jersey Creek. Jack Fletcher et Graeme Fletcher, les fils du boucher.

Elle plaqua une main sur sa bouche pour étouffer un rire nerveux.

– L'un des fils Williams est rentré, mais il n'a plus de visage ! Je l'ai vu, il m'a regardée, j'ai crié et je suis partie en courant. J'ai trébuché et je me suis fait mal au poignet.

Elle montra le dessous de sa main.

Quinn se rappela avoir vu ça à l'hôpital. Des « gueules cassées », ces malheureux enveloppés de bandelettes qu'on véhiculait sur des brancards, à travers les couloirs. Les amputés et les muets. Les salles de l'hôpital étaient tenues dans une demi-pénombre, mais il sentait leurs regards suppliants quand il passait. On disait que des médecins peaufinaient des masques métalliques sur lesquels étaient moulés et peints ce qui avait été soufflé par les explosions – yeux, nez, menton, joues, oreilles – et c'était ahurissant d'imaginer ces hommes devenant des simulacres de ces mêmes machines qui les avaient mutilés.

Sadie sortit un tube en laiton qui devait être un télescope portatif. D'une main experte, elle emboîta les trois éléments, se mit sur le ventre et observa la petite ville pendant quelques minutes en émettant de petits borborygmes. Puis, elle le passa à Quinn, qui y colla son œil.

Quelques secondes lui suffirent pour se faire à la vertigineuse sensation de voir le monde à ce point grossi et encombrant. Il vit une lumière floue, une roue de vélo. Le drapeau australien, pendu à sa hampe. Le clair de lune sur le toit de Sully, le maréchal-ferrant. Trois hommes se tenaient dans la rue, devant le Mail Hotel, sous un bec de gaz. L'un d'eux rit et se pencha pour se donner une tape sur la cuisse. Scène muette, bien entendu. Un autre avala sa bière et rentra à l'intérieur d'un pas joyeux qui aurait pu être un signe d'ivresse, s'il n'avait eu une jambe en bois.

Sadie se leva et balaya des brins d'herbe sur sa robe.

– Par ici, dit-elle en reprenant le télescope qu'elle rangea dans la musette.

Sans un mot, ils trottèrent dans les ombres humides d'un petit bois de pins et contournèrent un champ avant de traverser discrètement un paddock et de se lancer dans les rues désertes de cette ville de veuves.

Sadie l'entraîna dans le bas de la grand-rue, là où ça se réduisait à presque rien. Ils coupèrent par le verger jouxtant l'église anglicane. Elle attendit qu'il se glisse à travers la clôture et ensuite lui donna la main en souriant, geste qui suscita en lui une joie presque douloureuse. Il se sentait exulter. Sa petite main était brûlante. Le verger embaumait les fruits trop mûrs. Même s'il ignorait ce qu'ils fabriquaient, il y avait bien longtemps qu'il ne s'était autant amusé.

Main dans la main, ils avancèrent – franchissant une autre clôture, traversant la poussiéreuse cour de l'école, Church Street et les jardins d'Orchard Street à la végétation anarchique. Il entendit les poules battre des ailes. Des grillons se turent sur leur passage. Puis, traverser Fletcher Street et franchir une autre clôture. Sadie fit une pause sur ses talons et mit un doigt devant ses lèvres. Quinn l'imita et fut aussitôt submergé par un puissant parfum : ils se trouvaient sous un pommier et le sol était jonché de fleurs et de fruits.

Il ôta une toile d'araignée collée à son visage et scruta les ténèbres. Au-delà de la protection du pommier s'étendait une pelouse d'un gris argent au clair de lune. Au bout d'une minute, il distingua la rampe d'un petit escalier qui devait correspondre à la porte de service et le reflet d'une fenêtre derrière un gros buisson de marguerites. Un fauteuil blanc sur la véranda. Il se tourna vers Sadie :

– Où sommes-nous ? Qu'est-ce qu'on fait là ?

Sans répondre, elle se dirigea vers la maison, contournant la pelouse et longeant les plates-bandes au bord irrégulier. Quinn la suivit. Il firent une nouvelle halte sur la véranda.

– Mme Higgins vit ici, maintenant, dit-elle. Mais ce soir elle joue au bridge avec la femme du pasteur.

Elle s'avança en tapinois, ouvrit la petite porte, lui fit signe de suivre et se glissa à l'intérieur, comme dans un lac.

Quinn regarda autour de lui. Il était nerveux. La croix gravée dans sa poitrine le démangeait. Tout près, à un pâté de maisons, un chien aboya. Le claquement d'une porte-moustiquaire, puis le silence. Il entra dans la maison froide, referma la porte derrière lui et attendit de s'acclimater à cet autre genre d'obscurité.

Ça sentait la cire et les fleurs séchées. Sadie émergea des ténèbres, le prit par la main et l'entraîna dans le couloir. De la vaisselle sur un buffet tressauta à leur passage. À présent, la vue de Quinn s'était adaptée. Sur le manteau d'une cheminée se trouvait un ensemble de photos sous cadre d'argent. Sadie l'attira dans un coin où elle se mit à tenter de récupérer quelque chose sous une bibliothèque vitrée. Leurs reflets jumeaux miroitèrent dans la vitrine, devant eux, tels des spectres.

– Tu vois ? dit-elle à voix basse. C'est coincé.

Quinn s'agenouilla sur le parquet et saisit une petite poignée en laiton.

– Qu'est-ce que c'est ?

– Un coffre.

– C'est clair ! Mais qu'y a-t-il dedans ?

– Il faut le récupérer et l'ouvrir.

– Qu'y a-t-il dedans ?

– Vas-y !

Exaspéré, Quinn tira un coup sec. Un bibelot dégringola de la bibliothèque et roula sous un rideau. Ils se figèrent instinctivement avant de s'en prendre de nouveau à l'objet. L'ayant dégagé, il défit le fermoir mais c'était fermé à clé.

De la musette, Sadie sortit un gros tournevis.

– Essaie ça !

Quinn fut impressionné. Il inséra la pointe sous le couvercle et fit levier sur la poignée, ce qui eut pour effet de la forcer. Sadie s'approcha à quatre pattes pour fouiller l'intérieur.

C'est alors que, malgré son ouïe déficiente, Quinn entendit le bruit d'une chaussure raclant une marche. Puis un autre. Mme Higgins, sans doute. Sadie avait dû entendre, elle aussi. Elle se leva. Tout son corps frémissait de chaleur. Il sentit qu'elle le regardait – halo blafard du visage à la périphérie de sa vision. Elle plaqua un ballot de vêtements ou de draps contre son ventre.

– Et cette partie de bridge… ? chuchota-t-il.

Un bruit de poignée, le grincement d'une porte – celle de l'entrée, à trois mètres d'eux. Et là, le plus glaçant, des gloussements. Il n'y avait pas qu'une seule personne. C'était pire : elles étaient plusieurs.

20

Que faire ? Il chercha sur le visage de sa camarade une réponse à cette question. Les traits de Sadie étaient crispés de terreur. Dehors, une femme pouffa de rire et dit *Attention à la marche !* Une voix grave. La porte d'entrée claqua, déclenchant une autre cascade de rires. De nouveau l'autre voix, plus grave. Un homme. Quinn était pétrifié. Un rayon de lune s'étira sur la table de la salle à manger, éclairant une corbeille de fruits.

Silence. Allait-on les pincer ?

Là encore des voix, de vagues bruits de pas suivis d'un choc, peut-être un talon d'escarpin contre une plinthe. L'homme prit la parole. Quinn était incapable de comprendre mais il identifia aussitôt l'accent traînant, et comprit à sa réaction que Sadie aussi. Son oncle. Robert Dalton. Son cœur se serra.

Autres rires provenant de l'entrée, des mots étouffés. Il distingua le cadre de la porte au fond, puis le reflet d'un miroir dans le couloir. Et s'ils partaient en courant – passer la porte, traverser le vestibule, s'échapper par le jardin ?

La voix féminine, basse et suggestive. *Par ici, monsieur le constable...* Des pas, un grognement, et le grincement explicite d'un sommier. Autres rires, dépourvus de toute inhibition, cette fois, et le choc d'un godillot par terre.

La poitrine de Sadie se soulevait péniblement. Elle s'humecta les lèvres et, avec le soin qu'on met à manipuler un nourrisson, lui tendit le petit paquet extrait du coffre. Il secoua la tête pour indiquer que ce n'était pas le moment, mais elle le mit de force dans ses mains. Quelque chose dans son attitude ne tolérait pas de refus. C'était bien plus lourd qu'il ne l'aurait cru et, en le démaillotant, il sentit une forte odeur de lubrifiant. Un revolver – un Webley apparemment, sans doute le même modèle que celui qu'il avait perdu. Elle lui tendit une boîte de munitions.

De la chambre, on entendait d'autres grincements, des murmures voraces, des chuchotements. Quinn rougit. Pendant qu'il faisait ses classes au Caire, il avait été traîné au bordel par ses camarades et, s'il avait décliné les avances des femmes aux yeux soulignés de khôl, cette expérience lui avait inspiré l'horreur des relations sexuelles sordides. L'endroit puait l'encens et l'alcool. Il revoyait à présent cette nuit-là, tout comme il venait de se rappeler le meurtre de Sarah : les circonstances de l'un et l'autre se confondaient pour former un kaléidoscope de membres enchevêtrés et de rires sinistres.

Il ouvrit le barillet, logea trois balles dans les chambres et referma d'un coup sec. Cet acte eut quelque chose de profondément satisfaisant. Lui et Sadie passèrent à pas de loup dans le vestibule. Le parquet grinça. Ils se tétanisèrent. Quinn s'aperçut qu'il tremblait de peur. Son oncle s'esclaffait. Il fit signe à Sadie d'aller se tenir près de la porte du jardin ; elle opina et obéit. Quoique ne sachant comment procéder, il s'imagina qu'il pourrait entrer dans la chambre et abattre son oncle sur place. Cette autre fois, celle avec Sarah, comme il aurait aimé avoir une telle arme dans les mains ! Il examina le revolver. Après tout, c'était peut-être lui, le bras armé de Dieu ?

Tout à coup, une silhouette se dressa devant lui dans l'entrée. Une femme en tenue légère. Mme Higgins. Le clair de lune se reflétait sur son front en sueur, donnant l'impression qu'elle avait été trempée dans du lait. Ses doigts s'agitèrent dans les airs.

– Dick, murmura-t-elle. Dick, est-ce toi ? Mon Dieu, je suis désolée, je croyais…

Quinn la dévisagea, fasciné, incapable de parler. Il la connaissait bien. *Evelyn*. Evelyn Kingston, une ancienne camarade de classe. Une fille bagarreuse qui, un jour exclue d'une partie de cricket, avait confisqué et balancé leur balle dans le verger bordant la cour de récréation.

Il sentit un courant d'air et comprit aussitôt que Sadie avait ouvert la porte du jardin derrière lui. Un remue-ménage dans la chambre, suivi d'une question étouffée. Robert.

Evelyn Higgins parlait toujours de sa voix plaintive.

– Dick, tu étais parti depuis si longtemps, des années, que j'ai cru…

Quinn pivota sur ses talons et, franchissant la porte au galop, se retrouva sur la véranda. Il bondit sur la pelouse, perdit l'équilibre et tomba à plat ventre avec un sourd grognement. Du sang envahit sa bouche. Il avait l'odeur d'herbe foulée dans les narines, un peu de terre au bout de la langue. Sadie l'encourageait à se relever. Ses membres chatoyaient.

De la maison, il entendit des pas, des éclats de voix, un juron. *Non, je t'en prie, non…*

Quinn se releva. Sadie se déplaçait à travers la pelouse, de la droite vers la gauche.

– Par ici, dit-elle, et elle s'évanouit à travers la clôture.

Le cœur battant de façon erratique, revolver au poing, Quinn tituba dans sa direction mais impossible de repérer la brèche par lequel elle s'était échappée. Il tâtonna sur les genoux, au milieu des plates-bandes. Le sol était spongieux et puait la fiente de poulet. Une branche lui égratigna la joue. Enfin, il trouva le passage et s'affala de l'autre côté. Sadie l'aida à se remettre à genoux puis traversa en courant la rue et tourna à l'angle.

Du jardin, on pouvait entendre la voix grincheuse de Dalton et celle, apaisante, d'Evelyn Higgins. *Pas la peine de sortir ton arme… Robert !* Les chiens jappaient de partout.

Quinn tenta de se relever, mais quelque chose le retint par la manche. Il songea aux créatures maléfiques qui hantaient les marécages, mais c'était seulement un bout de barbelé rouillé, cloué à la clôture. Il se tordit dans tous les sens, mais pas moyen de s'en débarrasser. Des brins de fil de fer le coupèrent au poignet.

La voix furieuse de Dalton retentit de nouveau de

l'autre côté. Son oncle se rapprochait ; foulant les broussailles, cherchant l'intrus. *Montre-toi, petite garce...*

Il se défit de sa tunique, se releva en titubant et se précipita au coin de la rue, où il faillit entrer en collision avec Sadie, qui revenait en sens inverse.

– Qu'est-ce que tu foutais ? chuchota-t-elle, hors d'haleine.

– Je m'étais accroché...

– Et le revolver ?

Il le lui montra, toujours enveloppé dans son linge huileux. Les yeux de Sadie étincelèrent.

– C'est l'occasion ou jamais ! Retourne là-bas et descends-le ! Va !

Mais Quinn se contentait de la dévisager. Sans bouger.

Quand il fut évident qu'il ne passerait pas à l'action, elle le tira par sa manche de chemise.

– Alors viens...

Ils volèrent à travers les bas quartiers de Flint. Des chiens hurlaient, se jetaient contre les clôtures. Ils ne s'écartaient pas du bas-côté herbeux. Quinn imaginait des femmes réveillant leurs maris endormis, se glissant jusqu'à la fenêtre de leur chambre, s'interrogeant sur la nature de ce vacarme, à cette heure tardive. Lui et Sadie passèrent devant des vergers et allèrent traverser les prés détrempés en lisière de la ville pour s'enfoncer dans la forêt.

Une heure plus tard, ils étaient de retour à la cabane. Épuisés, les nerfs ébranlés, ils s'écroulèrent par terre. Quinn s'étendit de tout son long et contempla le plafond. Ni l'un ni l'autre ne parlait. Sadie s'assit contre le mur.

Il sombra dans un sommeil agité, ponctué de rêves où il voyait des branches d'arbres enchevêtrées et des no man's land bourbeux. Puis, l'espace dépouillé de la chambre, Sadie, la flamme vacillante d'une bougie, ce goût de vase et de sang dans sa bouche.

Elle lui agrippa le bras.

– Réveille-toi ! disait-elle. Réveille-toi ! Où est ta tunique, Quinn ? Où est ta tunique ?

Il se redressa sur son séant, se frotta les yeux.

– Quoi ?

– Ta tunique ! Qu'en as-tu fait ?

Au bout d'un silence stupéfait, il déclara :

– Je l'ai laissée près de la clôture. Je te l'ai dit. Je m'étais accroché aux fils barbelés...

– C'est comme ça qu'ils nous retrouveront.

– Qu'est-ce que tu racontes ?

– C'est comme ça que le traqueur retrouve les gens, pour le compte de Dalton. Lui et ses chiens. Ils repèrent les gens à l'odeur. Sur des vêtements ou autre. Quand il n'y a pas de traces. Ils peuvent retrouver n'importe qui de cette façon-là. Tu aurais dû saisir ta chance de le tuer...

Quinn pesta tout bas. Elle avait sans doute raison. Comment avait-il pu être aussi stupide ? Aussi couard ? Enfin, au moins il avait arraché le badge à son nom. C'était déjà ça. Le goût du sang le poussa à effleurer du doigt ses dents de devant. Hé oui, la canine gauche branlait. Il la remua, et elle se cassa entre ses doigts. Il essuya le sang et la tint devant lui, où elle brilla.

Le lendemain matin, vêtu de son seul pantalon, il remplit un seau d'eau à la citerne et s'installa dehors pour faire sa toilette. Des libellules voletaient çà et là, captant le soleil dans leurs ailes. La matinée était fraîche mais contenait la promesse d'une nouvelle journée de canicule. Des bolées d'eau glaciale aspergèrent sa tête et coulèrent le long de sa poitrine. Il respirait à petites gorgées, lavant ses épaules et sa nuque, repliant les bras au-dessus de sa tête comme un oiseau agite ses ailes.

Il entendit la porte claquer et se retourna. Debout à quelques mètres de lui, Sarah l'observait. Ses yeux qui ne cillaient pas parcoururent son torse mouillé. Qu'est-ce qui pouvait bien lui passer par la tête ? Ils s'observèrent ainsi pendant plusieurs secondes, après quoi elle se fraya un chemin jusqu'à lui à travers les herbes hautes, leva la main et, dans un geste à la fois tendre et sauvage, arracha la croûte cicatricielle sur la croix qu'il s'était gravée sur le torse. Si subite avait été l'attaque, et si grand son choc, qu'il ne comprit qu'en voyant une goutte de sang épais couler de la blessure. La douleur était aiguë, subtile, et il en frissonna. Quelque chose grandit à la lisière de sa mémoire, s'évanouit, revint. Le sang. Le sang de Sarah sur elle-même, sur lui. Le poids de son cadavre, ses yeux ternis. Au moment où il songea à relever la tête, Sadie était rentrée dans la cabane.

21

Lorsque Quinn se réveilla le lendemain matin, il était seul, couché par terre avec son trench-coat en guise d'oreiller. Il se sentait faible ; l'eau de la citerne rouillée était-elle empoisonnée ? Un opossum ou un koala étaient peut-être morts là-dedans. Ce régime composé de lapins faméliques, de pain sec et de boîtes de fayots n'aidait guère. Dans sa tête il entendait les claquements assourdis de l'artillerie, mais la guerre semblait bien loin maintenant, tout comme l'hiver est inimaginable quand on est au cœur de l'été. Une souris traversa à toute allure la pièce et disparut par un petit trou. En un clin d'œil.

Il passa le plus clair de la journée à sommeiller et fut réveillé par une quinte de toux qui le mit au supplice. Lorsqu'il fut de nouveau sensible à ce qui se passait autour de lui, Sadie était accroupie à ses côtés et lui faisait boire un mélange d'eau et de bicarbonate de soude. Elle était toujours là quand il avait besoin d'elle. Il avala ce breuvage et, quand il put se relever, se laissa entraîner dehors, par la main. Là, attaché à un arbre par une corde, il y avait l'agneau qu'il avait trouvé à son arrivée. La petite bête bêlait et secouait sa tête décharnée. Sadie s'agenouilla pour l'embrasser, puis le détacha et les mena – la longe dans une main, celle de Quinn dans l'autre – au sein de la forêt.

Même s'il ne protesta pas, la fillette devait avoir senti son hésitation. Elle tira tellement sur sa main qu'il dut se plier presque en deux. Mettant les lèvres contre son oreille, elle prononça des mots qui passèrent outre sa déficience auditive pour atteindre son cœur.

– *Pim*, lui souffla-t-elle. Il faut me faire confiance…

Il la dévisagea – les yeux noirs, ronds comme des cerises, la bouche bien fendue. Elle lécha des gouttes de sueur perlant déjà sur sa lèvre, lui lâcha la main, marmonna des encouragements à l'agneau qu'elle entraîna dans le sous-bois. Quinn attendit un peu avant de les rattraper.

Ils crapahutèrent pendant des heures, prenant petit à petit de la hauteur, haletant. La pente était raide et rocailleuse. L'agneau n'avançait qu'à contrecœur et il fallait le cajoler pour qu'il y consente ; peut-être soupçonnait-il qu'une issue déplaisante l'attendait ? Ils parvinrent à une grotte. Le vent chantait à travers les arbres alentour, et, une fois sur le bord granitique, ils purent voir les motifs de la terre qui leur était cachée d'ordinaire, les plaines de la Nouvelle-Galles du Sud. Champs et petites routes ; douzaines de barrages bruns ; bouquets d'arbres ; reflets du soleil sur les toits en tôle ondulée ; l'éclat des cours d'eau.

L'entrée de la caverne était imposante, elle avait peut-être servi de prise à l'Éternel quand il était venu escalader la terre pour inspecter son ouvrage. Quinn se demanda ce que ça faisait, d'être à la place de Dieu : voir la totalité de la planète et ses créatures, le passé et l'avenir dans un même instant. C'était une pensée terrible et magique. L'atmosphère préhistorique de la grotte rafraîchissait la sueur dans son dos tandis qu'il observait l'horizon au côté de Sadie.

– C'est la Grotte des Mains, dit-elle après avoir repris haleine.

Elle attacha l'agneau à un arbre.

– C'est là que je venais me cacher de M. Dalton...

Fasciné, Quinn la scruta. Elle était si capable, si certaine de sa place dans ce monde ! Elle écarta du pied des fougères. L'agneau regardait vaguement autour de lui, lâchant des bêlements tremblants.

– Personne ne connaît cet endroit à part moi et les Aborigènes. C'est « terreur incognito »...

– Quoi ?

– Terreur incognito ! Ça veut dire « inconnue » !

Il se mit à rire.

– Terra ! T-E-R-R-A. Ça veut dire le sol. Une terre inconnue.

Elle le regarda de travers pendant plusieurs secondes avant de se fendre d'un sourire espiègle. Elle lui prit la main.

– T'es marrant. Viens...

Elle l'entraîna au fond de la grotte. Le plafond rocheux s'inclinait, et il fallut parcourir les derniers mètres en se dandinant. La lumière du jour ne filtrant pas jusque-là, cette niche était fraîche et obscure. La tête de Quinn frôlait la roche. Ils s'installèrent, le temps de se faire à la pénombre. À côté de lui, la petite grattait une croûte sur son tibia, absorbée par sa tâche infantile. Quinn avait du mal à la cerner et, comme poussé par une force extérieure, il tendit la main. Elle s'interrompit et releva la tête. Sans bouger. Elle se laissa caresser une joue, puis l'autre, passer les doigts dans ses longs cheveux. Il sentait grandir en lui une forte envie de pleurer.

Il retira sa main, toussa dans son poing. Ses chevilles se ressentaient de cette posture. Et puis, là juste devant lui, comme son regard s'habituait tout à fait à l'obscurité, il distingua une galaxie de mains peintes tout autour d'eux. Il y en avait des douzaines, répandues sur les murs et le plafond – pas seulement des mains, mais des kangourous et des serpents, barbouillés en ocre et en noir. La surprise déclencha son hilarité et il survola du regard ces mains avant d'en repérer une qui avait les mêmes proportions que les siennes. Il appliqua sa paume contre le rocher froid, sourit à Sadie.

– Alors, qu'est-ce qu'on fait là ?

– On doit découvrir quand le traqueur sera de retour, comme tu l'as dit. Surtout maintenant que Dalton a ta veste. Il y a des moyens magiques pour apprendre ces choses, mais tu vas devoir m'aider.

Elle sortit de la caverne pour revenir une minute plus tard avec l'agneau en laisse. Elle insista pour qu'il l'enserre de ses bras, bloque son menton d'une main. Tel un enfant récalcitrant, l'agneau se débattait contre sa poitrine, donnait des coups de tête, bêlait.

Avec un morceau de craie, Sadie traça un cercle au sol tout autour d'eux.

– Tu le tiens bien ?

Quinn eut un rictus. Tout cela était ridicule, mais il acquiesça néanmoins. Il pouvait lui passer ça.

– Et maintenant… ?

Les yeux mi-clos, Sadie articula quelque chose et planta son couteau dans l'agneau. Elle lui fendit la panse avec un bruit qui ressemblait un peu à celui d'un sac en toile de jute qui se déchire. Une odeur humide et chaude d'excréments et de boyaux envahit la caverne. Les cuisses de Quinn se réchauffèrent au contact du sang. Il lâcha un juron. L'agneau se débattit contre lui, rua désespérément, finit par se libérer en chancelant et fit quelques pas en les regardant avec une expression de reproche étonné. Ses intestins tombèrent avec un « floc », suivis par d'autres organes violacés. La petite bête s'écroula sur ses pattes de devant, puis sur son derrière, et, après avoir émis un râle plaintif, s'affaissa, se raidit, et mourut. Le tout n'avait pas duré plus d'une minute.

Quinn frotta son pantalon maculé de sang. Il tenta de se relever et se cogna la tête. De nouveau, il se remit à genoux.

– Qu'est-ce que tu fous !?

Mais la petite, elle-même éclaboussée de sang, s'accroupissait déjà derrière le cadavre en lui tournant le dos. Elle entama ses divinations, séparant les entrailles avec les doigts tout en hochant la tête, exprimant surprise ou satisfaction avec de petits gloussements. Pour prévenir toute interruption, elle leva le doigt dans la direction de Quinn qui, déconfit, retourna dans la lumière de fin d'après-midi.

Là, il s'installa sur la saillie en pierre, striée d'étranges symboles – peut-être même des mots – qui ne semblaient pas le fait des mêmes gens qui avaient peint à l'intérieur de la grotte. Il remarqua des objets qui jonchaient le sol tout autour de l'entrée. Il y avait des tas de cailloux et d'os, des bouts de ficelle, des cheveux, et même deux soldats de plomb calés en hauteur, entre des pierres, leur fusil braqué sur le monde extérieur. Il secoua la tête. Sadie.

Il se faisait tard. Le crépuscule avait quelque chose d'effervescent. C'était le moment qu'il préférait, quand on pouvait voir les choses qui n'étaient en général pas visibles dans la lumière écrasante du plein jour : nuées d'insectes tourbillonnants, grains de pollen, plumes chatoyantes, minuscules parachutes de pissenlit tourbillonnant. Des colonnes de fumée s'élevaient à l'horizon – un lointain feu de brousse. Comme c'était merveilleux, songea-t-il, d'être au monde. Ce monde-ci. Où rien n'était impossible. Il éprouva un sentiment d'exaltation étrange mais libérateur. À distance, en contrebas, le soleil miroita sur quelque chose de métallique et il imagina que, si on était juste en train de scruter la montagne au télescope, il passerait inaperçu, telle une bête préhistorique tapie dans les ténèbres.

Sadie réapparut une demi-heure plus tard et elle s'accroupit pour s'essuyer les mains sur les pierres, à l'entrée de la grotte qu'un filet d'eau rendait humide. Elle contempla le pays qui s'assombrissait, comme pour digérer ses récentes découvertes, puis s'installa auprès de Quinn en mettant la tête contre son épaule.

– Alors, dit-il, qu'as-tu découvert ?

– Rien, pour le moment. Ce n'est pas toujours aussi simple. Parfois, on apprend la chose par un moyen détourné.

– Je vois.

– Tu ne me crois pas, hein ?

Quinn se rappela les paroles de Mme Cranshaw avec un frisson.

– Le temps risque de nous manquer, c'est tout...

– La réponse va venir. Je les ai entendus parler derrière chez Sully, l'autre jour... On n'a pas encore retrouvé le type qui a tué sa femme. Le traqueur en a encore pour une semaine, au minimum...

Quinn soupira. Ça n'avait vraiment rien de scientifique. Comment la persuader de quitter le pays ? Il pensa à sa mère, en train de mourir dans la pénombre de sa chambre.

D'un doigt taché de sang, Sadie désigna une chaîne montagneuse bleutée, dans les lointains.

– La France, c'est au-delà de ces montagnes... ?

– Au-delà de ces montagnes, et de l'océan...

– L'océan ?

– La mer. Une étendue d'eau.

– Comme un lac ?

– En bien plus grand. Plus grand que ne peut en embrasser l'œil humain. Le bateau a mis des semaines pour arriver là-bas.

Elle n'eut pas l'air convaincue, mais acquiesça tout de même, scrutant l'horizon comme pour repérer cette mystérieuse étendue d'eau.

– La France, c'est joli ?

– Joli ?

– Pas comme ici…

Aussitôt, il comprit. L'Australie était en effet un pays entre deux, sans ordre, où les arbres étaient obligés de pousser là où ils le pouvaient. Leurs pauvres racines labouraient la terre. Les animaux étaient informes, bancals, ondulants. Même les oiseaux chantaient moins qu'ils ne caquetaient, ululaient et riaient comme des fous furieux. Et toujours, au-dessus de votre tête, la coupole du ciel d'un bleu pur et blessant.

– Non, dit-il. Ce n'est pas du tout comme ici.

– Et Kensington Gardens ? C'est loin ?

Il rigola. Malgré toute sa cuisine ésotérique, elle ignorait les choses les plus élémentaires.

– C'est à Londres ! Très loin d'ici. À des milliers de kilomètres…

– Aussi loin que la France ?

– Oui. Pourquoi cette question ?

– Mon idée, c'est d'y aller avec Thomas. Mme Babcock en parle à ses enfants. J'en ai moi-même rêvé. Il y a un lac, là-bas. Des fées pas plus grosses que mon pouce, un monde aquatique. Imagine… Elles organisent des fêtes où toutes les bêtes sont invitées, les écureuils, les oiseaux… les lapins, les grillons.

Ce souvenir semblait la mettre en joie.

– J'ai prié pour aller là-bas…

En effet, il l'avait vue une nuit, à genoux, ses mains fines jointes sur sa poitrine plate, pâle mante religieuse dans le clair de lune.

– Tu pourrais venir avec nous ! dit-elle. Tu aimeras Thomas. Tout le monde l'apprécie. Il est très drôle.

Des nuées d'insectes grouillaient dans la lumière tremblante du crépuscule. Elle l'entoura de son bras. Un vent sec agitait ses cheveux humides et on aurait dit alors une enfant en suspens sous l'eau, retenant patiemment sa respiration, des algues plaquées sur sa figure.

L'obscurité envahit le décor. Quinn ramassa du bois et entreprit de faire du feu dans la caverne. Avec le couteau de Sadie, il découpa l'agneau et fit cuire les morceaux. Elle lui déclara qu'il devait en manger le plus possible ; cela aiderait à découvrir la date à laquelle le traqueur serait de retour. Il n'en crut rien, mais il était affamé et assez heureux de pouvoir se goinfrer de viande grillée. Couchés sur le dos, à même le sol inégal de la grotte, ils regardèrent les flammes animer ces mains et animaux de la Préhistoire, et il eut l'impression qu'à son insu, une parcelle de bonheur s'était logée dans son cœur.

En pleine nuit, il entendit le souffle épais de Fletcher Wakefield dans le lit de camp voisin. Lui aussi avait été gazé à Pozières. Un rai de lumière verdâtre tombait sur le lit. La pluie brillait aux carreaux. Le dortoir sentait le désinfectant. Il y avait dix autres soldats censés roupiller tout autour de lui et cette présence était un réconfort. Braves types, dans l'ensemble. La guerre rendait meilleurs ceux qu'elle n'avait pas démolis. Survivre à une tragédie, c'est apprendre qu'on ne pourra pas toujours s'en tirer, et savoir cela était à la fois une délivrance et une tristesse. Mais à présent que c'était presque terminé, beaucoup – comme Quinn – restaient éveillés la nuit, affranchis de cette peur qui les avait soutenus pendant si longtemps. Tout au fond, l'extrémité d'une cigarette rougeoyait par intermittence.

Il songea à la jeune fille et, après une demi-heure d'hésitation, roula sur le côté.

– Fletcher, chuchota-t-il. Fletcher !

Celui-ci s'éveilla, manifestement mécontent. Son oreiller trop fin dégringola par terre.

– Quoi ?

– On devrait y retourner.

– Quoi ? Où ? Merde, Quinn ! Qu'est-ce que tu racontes ?

– La fille...

– Quelle fille ?

– La fille de Mme Cranshaw...

– Ah...

Groggy, l'autre se souleva sur un coude.

– Margaret... ? Est-ce qu'elle... Elle t'a dit quelque chose ?

Un *chut* s'éleva dans le noir.

– Qu'est-ce qu'elle a dit ?

Quinn se remit sur le dos et contempla le plafond.

– Alors ? Qu'est-ce qu'il y a, Quinn ? T'es pas fou de me réveiller comme ça... !

Il aurait voulu lui parler du petit mot, suggérer de retourner là-bas pour arracher cette Margaret aux griffes de Mme Cranshaw, parce que ce serait une bonne action susceptible de les armer contre les sombres flux et reflux du siècle. Ils en auraient peut-être besoin, vu tous les hommes qu'ils avaient dû tuer avec leurs balles et grenades. Mais il resta sourd aux prières de son camarade et ce dernier se rallongea, dégoûté, sans mot dire. Après tout, comment expliquer une chose pareille ? Et Quinn resta dans son lit, à attendre qu'une aurore pâle filtre dans la pièce.

Tout à coup, il émergea de son rêve. Sa peau était gluante, et il chercha dans les ténèbres un point de repère. L'odeur forte de viscères offensait ses narines ; un caillou s'enfonçait dans sa joue. Là. Des braises, comme une cité en flammes vue de très loin. Il toussa. La douleur lui broya les tripes. Puis, quelqu'un surgit à ses côtés. Sadie. Elle se nicha contre lui et murmura des paroles rassurantes. Son corps était sans duplicité – une haleine et des os, les branches des bras et jambes. Il y avait une boule au niveau du poignet, là où l'os déformait la peau et, sur son bras, du duvet comme celui des pêches.

Ils restèrent là, imbriqués l'un dans l'autre, comme souvent, à guetter la circulation des étoiles et les révolutions de la terre. La nuit était totale – l'obscurité n'aurait pas pu être plus grande. Il se demanda ce qu'ils allaient devenir, pas seulement cette nuit ou les jours suivants, mais dans les mois et les années à venir.

Elle se lova un peu plus contre lui.

– Tu ne les laisseras pas m'attraper, n'est-ce pas ? Tu attendras le retour de Thomas ?

Les braises crépitaient.

– Oui. Bien sûr. Je resterai. Je ne les laisserai pas te trouver.

– Tu me protégeras ? Promis ?

– Croix de bois, croix de fer…

Il remit du bois dans le feu et ils passèrent le reste de la nuit blottis contre le froid. Le lendemain matin, ils fabriquèrent un brancard avec des branches, y attachèrent les restes de la carcasse de l'agneau, et le traînèrent jusqu'à la cabane.

22

La chaleur était de plus en plus accablante. Une fois dans la cabane, Sadie s'écroula par terre et s'endormit. Le bas de sa robe était lacéré. Ses mains étaient encore tachées de sang et son bras en avait été éclaboussé. Quinn nettoya ses affaires et mit sa chemise à sécher sur la branche d'un arbre.

Incapable de se reposer, il se rendit au cimetière et passa l'après-midi à déambuler parmi les tombes. Il se rappelait avoir douté de Sadie quand elle avait affirmé n'avoir vu pleuvoir que quatre fois dans sa vie, mais à en juger par l'état du terrain, c'était peut-être la vérité. Le sol était dur comme de la pierre, et les feuilles d'eucalyptus si sèches qu'il n'aurait pas été étonné de les voir entrer en combustion spontanée. Bien entendu, ils ignoraient toujours quand le traqueur serait de retour. *Parfois, on apprend les choses par un moyen détourné*. Folie.

Quelle bêtise de croire que ses tours de magie pourraient les aider ! – mais il n'avait pas eu le choix. Sa première impression avait été la bonne : elle était cinglée et ce frère devait être un fantasme. Tôt ou tard, son oncle les trouverait ; ils ne pouvaient pas se cacher éternellement. Le mieux serait de retourner à Sydney, où nul ne le connaissait. Il fallait partir, et sur le moment il regretta d'avoir promis d'attendre le retour de ce frère. Il songea à ce que sa mère avait dit : *C'est un amour terrible. Terrible.*

Il trouva la tombe de la mère de Sadie, Edna. Une simple croix blanche se dressait sur le monticule, avec la date du décès – 1er février 1919, quelques semaines avant son propre retour. Pauvre Sadie. C'était affreux d'être si seule au monde.

Il se dirigea vers la tombe de Sarah et ôta une branche tombée en travers de la stèle. Il toucha l'endroit de sa poitrine où la croix avait cicatrisé. Sous sa chemise, il sentait la fine croûte parmi les plaies plus récentes. Quelque chose dans l'herbe attira son attention, et il se pencha pour l'examiner de plus près. Un coquillage blanc, gros comme un grain de raisin ; il était entortillé dans du fil de coton qui avait dû être rouge, mais était à présent d'un rose très pâle, presque incolore. Sadie avait dû le laisser ici. C'était beau et pathétique – chose minuscule sacralisée par une petite fille. C'était si inutile, ces amulettes qu'elle fabriquait pour accompagner les défunts dans l'au-delà. Avec la foi, de l'imagination et de l'amour, on pouvait métamorphoser n'importe quoi. Il ramassa le coquillage.

Pendant la guerre, il avait vu un jeune soldat de deuxième classe respirer l'intérieur d'un coquillage. Renseignement pris, il avait su que ce coquillage provenait du lieu de naissance du garçon, et que ce dernier prétendait y retrouver l'odeur de la plage où il était allé nager, la veille de son incorporation. Personne ne se moquait de lui : les circonstances de la guerre autorisaient ces comportements insolites, pas toujours barbares. À l'époque, Quinn avait jugé cela fantaisiste, mais accroupi sur cette colline, au milieu de nulle part, il porta le coquillage à ses narines, et inspira. Au début, rien, hormis la sueur et l'odeur d'eucalyptus incrustée dans ses paumes, mais bientôt il fut capable de discerner d'autres senteurs secrétées par la minuscule spire – la mer, les vents sulfureux, et même les fortes odeurs d'algues. La simple présence de ce coquillage – si loin de l'endroit où il avait dû être ramassé – l'émut au-delà du supportable. Des larmes brûlantes roulèrent sur ses joues. Que faire, à présent ? Où aller ?

Il resta là longtemps, pleurant, voûté comme sous le poids d'un fardeau. Que faisait-il ici ? Pourquoi être revenu ? Tout autour de lui, le monde accomplissait sa révolution, poursuivait son chemin. Il se vit furtivement avec les yeux d'un étranger – être pathétique, guère mieux qu'un mendiant, dans un cimetière, redoutant de partir, redoutant de rester.

Autre souvenir, fugace, de la guerre : un coup de feu au cours d'une nuit plutôt calme. Le lendemain, il avait appris qu'un pauvre bougre avait mis le canon de son fusil dans sa bouche et pressé la détente avec son orteil. Lui et d'autres s'étaient contenté de hausser les épaules – parce que c'était, en fin de compte, juste une mort de plus en temps de guerre, mais aussi parce qu'ils comprenaient. *Pourquoi pas ?* était la question sous-jacente. *Pourquoi pas ?*

Il s'essuya les yeux, puis il entendit un craquement – même avec son ouïe défaillante, impossible de s'y tromper : quelqu'un marchait derrière lui. Il se redressa et fut horrifié de voir son oncle grimacer péniblement en naviguant entre les pierres tombales. Quinn retint son souffle. La panique l'envahit. *L'Assassin.* Consterné, il pensa au revolver volé, fourré dans la poche de son trench-coat, et qui était resté dans la cabane.

23

Robert Dalton était un homme blond, costaud, avec un front carré rosi par les rayons du soleil. Il s'arrêta à quelques pas de lui, une main sur l'épaule cassée d'un angelot en pierre. Il transpirait abondamment et clignait des yeux, ébloui. Il défit plusieurs boutons dorés de son uniforme bleu et desserra son col, exhibant au niveau de la gorge le bord élimé d'un maillot de corps. Sa bicyclette était calée contre une stèle, derrière lui. Il avait pris de la bedaine et devait avoir maintenant dans les cinquante-cinq ans. Malgré l'uniforme et les années, c'était toujours bien celui qui le pinçait cruellement au bras, sans raison, quand personne ne pouvait le voir, et qui se moquait de lui si jamais il se plaignait. *Va te plaindre à ta mère, mais elle ne te croira pas.*

Quinn mourait d'envie de s'enfuir, mais il savait que ce serait se mettre dans son tort. Son oncle approcha.

– Tiens, tiens, déclara-t-il au bout d'une minute, ayant repris son souffle. Qu'est-ce que nous avons là ?

Avec un pâle sourire mielleux, il l'examina.

Quinn comprit que la question n'avait rien de rhétorique. Il baissa les yeux. Un petit lézard s'agita sur son godillot et fila sous une pierre, comme lui-même aurait bien aimé pouvoir le faire à ce moment précis. Son cœur se gonfla en songeant à Sarah, qui était couchée dans le noir absolu, six pieds sous terre, et suivait cet échange.

– Je me repose à l'ombre. Je ne suis que de passage.

Robert essuya son front en sueur après sa manche, puis se pencha et cracha un jet de salive qui atterrit sur un rocher. Visiblement, il était ivre.

– Original comme endroit, pour se reposer. On aime les cimetières ?

Il ne l'avait pas reconnu, heureusement. Quinn fit un pas en arrière.

– Au moins, c'est calme ici.

– Oh, ça, pour être calme… ! Les morts, ça parle pas, pas vrai ?

Quinn vit son regard se poser, l'espace d'un instant, sur la tombe de Sarah. Il vit aussi le poignet gauche bandé et se rappela avoir entendu son père dire que Robert était tombé en les poursuivant, deux semaines plus tôt.

– Je vais à Bathurst, bredouilla-t-il.

– Ah, oui ? Pas la porte à côté, ça…

– Non…

Dalton indiqua la direction de Flint, gratta les poils de son menton.

– Ben, ça peut pas être pire qu'ici, j'imagine. Quel trou ! Quel bled ! En général, les gens changent de pays dans le but d'améliorer leur existence, mais ici… L'Australie a été peuplée par des bagnards qu'on envoyait pour leur pourrir la vie ! C'est difficile à croire, mais le jour de mon arrivée, il neigeait ! C'était très joli. Mais il paraît que les gens n'avaient jamais vu ça. L'enfer qui gèle…

Sa propre plaisanterie le fit rire, puis il soupira, comme pour revenir à des sujets plus prosaïques.

– Vous venez d'où, vous dites… ?

– De Sydney. La guerre…

Il ricana.

– Vous n'avez pas l'air d'un soldat.

– J'en suis un. Enfin, plus maintenant. La guerre est finie.

Les yeux de l'autre s'écarquillèrent, dans une parodie de surprise.

– La guerre est finie ? Pas possible ! Vous me prenez pour un demeuré ? Vous voyez cet uniforme ? C'est moi la loi, ici, au cas où vous n'auriez pas compris. Je le sais bien, que la guerre est finie. J'ai dû le savoir avant tout le monde, par ici, – même si « tout le monde », ça fait pas beaucoup… J'ai même dû le savoir avant vous ! C'est moi la loi, ici. On me dit toutes sortes de choses cachées à l'opinion publique… Où avez-vous combattu ?

– En France. À Gallipolli. 17e Bataillon.

Quinn avait espéré que cette information l'amadouerait, mais tout au contraire. Il devint enragé.

– Gallipolli ? Monsieur est un héros, pas vrai ? Ben, figurez-vous que certains ont dû rester pour maintenir l'ordre. Feux de brousse, et autres… Veiller sur les femmes, les enfants. Il y a des drôles de lascars qui passent par ici, qui se planquent dans les collines. Tout un tas de mecs. La gloire, c'est pas tout, mon vieux. C'est pas tout !

D'un geste outrageusement cérémonieux, il dégaina son revolver et le brandit dans la direction approximative de Quinn. Se rapprochant, il lui enfonça le canon dans le ventre.

– Je pourrais vous descendre, vous savez… Rien de plus facile…

Quinn tressaillit et détourna les yeux. Si son oncle le reconnaissait maintenant, il le tuerait sans aucun doute. *Survivre à cette boucherie pour finir comme ça ?* Subitement, il se rappela le jour où Dalton avait tenté de se mêler à leurs jeux. Un an avant le meurtre de sa sœur, environ. William et Nathaniel étaient absents, et leur mère était allée faire des courses en ville. Sarah, qui ne s'embarrassait guère d'amabilités, l'avait rembarré. *Allons quelque part où on aura la paix*, avait-elle dit. Et sitôt qu'elle avait eu le dos tourné, il avait frappé Quinn si fort, avec ses phalanges, qu'une bosse grosse comme une noix avait éclos au-dessus de son œil – il avait dû dire à sa mère qu'il était tombé d'un arbre.

– Ça serait pas la première fois…, ajouta l'autre, d'une haleine avinée. Les types comme toi, tout le monde s'en fout. Un mort de plus ou de moins. Un parmi des millions. Je te laisserais bouffer par les corbeaux. Mon pote se débarrasserait de toi. Aucune importance. C'est quoi ton nom, au fait ?

Quinn fut paralysé. Sadie lui avait bien dit de ne pas s'aventurer loin de la cabane en plein jour et d'éviter les endroits où il pourrait faire des rencontres. La population de Flint, à l'entendre, était méfiante et ça ne s'était pas arrangé avec la guerre et l'épidémie. Cette règle, il l'avait observée autant que possible. Jusqu'à ce jour. Il serra le coquillage dans son poing.

– Fletcher Wakefield, répondit-il.

– Wakefield, hein… ? Drôle de nom. T'as tes papiers ? On doit contrôler les gens de passage et s'assurer qu'ils ne sont pas contaminés. T'as un certificat ? Le droit de prendre le train ? Tu sais que les frontières sont fermées ? On t'abattra, si jamais tu tentes de passer, tu sais, ajouta-t-il non sans plaisir.

Quinn ne bougea pas. Il serrait l'amulette si fort dans sa main moite que, dut-il survivre à cette rencontre, il savait qu'il aurait dans sa paume une marque en forme de croissant de lune. Il se mit à prier.

À sa grande surprise apparut alors, au-dessus de l'épaule de Robert – au début, un mouvement flou à la périphérie de sa vision, comme un papillon de nuit – une femme en noir qui évoluait parmi les tombes.

Dalton, lui aussi, prit conscience de cette présence. Peut-être paniqué, il rangea son arme et fit volte-face. Sa nuque avait pris un coup de soleil.

– Madame Porteous… Quelle surprise ! Vous devez être venue pour votre… votre…

– Ma tante, monsieur Dalton. Ma tante Ginny.

– Ah, oui. Pauvre femme. Une très brave femme. C'est terrible.

À présent, cette Mme Porteous n'était plus qu'à trois

mètres. Sa main placée en visière protégeait ses yeux du soleil. Elle avait peut-être dix ans de plus que Quinn. Il n'avait qu'un très vague souvenir d'elle. Elle tenait un petit bouquet de fleurs.

– Oui, c'était une brave femme, dit-elle. Et, oui, c'est terrible. On se demande quand tout ça finira.

– Si ça finit…

– Oui, si ça finit un jour…

Elle le regarda. Il avait une dégaine à faire peur et honte de s'être laissé aller à ce point. Il contempla ses godillots crottés. Enfin, il avait nettoyé ses vêtements tachés de sang. Le soleil était brûlant et l'air semblait grésiller.

– Ce monsieur était en train de me raconter qu'il était à Gallipolli, déclara Robert, saisissant le bras de Quinn avec une soudaine bonhomie. Vous allez à Bathurst, pas vrai, mon vieux ?

Mme Porteous parut indifférente, et même hostile.

– Je vois…

S'ensuivit un silence gênant, dans lequel le bourdonnement des insectes prenait plus d'importance. Puis, elle lui posa une question.

– Pardon, madame… ?

– Où avez-vous combattu ?

Il se racla la gorge.

– En France. En plus de Gallipoli…

– Salauds de Turcs ! s'exclama Robert. Excusez mon langage, madame, mais ça me fout vraiment en rogne…

La dame opina.

– Mon mari y était. Dans l'infanterie. 13e Bataillon.

Quinn n'avait que peu d'enthousiasme pour ce genre de conversation, mais il réussit à esquisser un sourire. Il se rappela ce que Mme Cranshaw lui avait dit : ceux qui avaient perdu des êtres chers ressentaient parfois de la haine pour ceux qui avaient survécu.

– Comment s'appelait-il ? Je l'ai peut-être connu.

Tel était, après tout, l'usage : il fallait se plier à cette convention. C'était comme si tous les combattants appartenaient au même club.

– Il était à Bullecourt. C'est là qu'il est mort.

– Oh, je suis navré…

D'un geste, elle déclina ses condoléances. Mme Cranshaw avait peut-être raison : les veuves de guerre en avaient assez de la compassion, des bonnes paroles, des bavardages oiseux sur la bravoure et les honneurs. Il leur fallait quelque chose de plus tangible.

– Ce n'est pas votre faute, ajouta-t-elle d'un ton plus conciliant.

Robert était embarrassé par la tournure de cet échange. Il lâcha le bras de Quinn et se mit à déblatérer sur le fait que c'était une honte, cette foutue guerre, et qu'il aurait bien aimé pouvoir s'engager, si seulement il n'avait pas été forcé de faire son devoir ici, en tant que représentant de la loi…

Devant le regard insistant de Mme Porteous, Quinn s'affola.

– Votre visage m'est familier, monsieur. Vous êtes du pays ?

Il rougit.

– Non, madame. Je ne fais que passer. C'est la première fois…

À présent, Robert le scrutait avec un intérêt renouvelé, comme si la femme avait repéré quelque chose qui lui aurait échappé.

– Ah oui ! dit-il, brandissant son calepin. Vos papiers. J'étais justement en train de demander à monsieur… – Wakefield, c'est bien ça ? – ses papiers pour vérifier qu'il n'avait pas la grippe. Simple formalité, bien sûr.

Quinn s'adossa à un ange de pierre. Du lichen vert pâle s'était accumulé dans les mains jointes en prière. Il était fichu et chercha en vain Sadie du regard, s'imaginant sottement qu'elle pourrait encore le secourir, tout comme le premier jour.

Mais Mme Porteous se tourna brusquement vers Robert Dalton.

– Heureusement que vous étiez dans les parages l'autre nuit, n'est-ce pas ?

Certaines veuves étaient terrassées par le chagrin, mais d'autres, comme celle-ci, s'en trouvaient investies d'une autorité.

Le policier en lâcha son calepin.

– Quoi ? Qu'est-ce que… ?

– Chez Mme Higgins… ? L'autre soir ? *Evelyn* Higgins.

Robert tressaillit.

– Ah… oui.

Elle se tourna vers Quinn, ses sourcils arqués feignant l'étonnement.

– Monsieur Dalton – notre représentant de la loi – se

trouvait par hasard chez une certaine veuve quand la pauvre a vu le spectre de feu son mari qui a été tué en Europe. C'était très tard. Chez elle. Elle a bavardé avec lui avant que M. Dalton réussisse à le chasser…

Robert baissa la tête et bougonna quelque chose.

– Evelyn est certaine qu'il s'agissait de Dick. Il lui ressemblait comme deux gouttes d'eau – l'uniforme et tout. Vous croyez à ces choses-là, monsieur Wakefield ? Aux fantômes… ?

– Je ne sais pas, madame…

Robert tenta de réaffirmer son autorité.

– Il n'y avait personne. Les gens prennent parfois leurs désirs pour la réalité. C'était la petite Fox. Je l'ai vue traverser la pelouse en courant. J'ai même trouvé une motte de gazon déterrée. Un fantôme ne fait pas *ça*. Et elle a pris le revolver de Dick. Cette petite est armée, figurez-vous. Elle devait avoir mis une tunique de soldat ; on l'a trouvée près de la clôture. Ça explique la confusion de cette pauvre Evelyn…

– Pourquoi voudrait-elle d'un revolver ? demanda Mme Porteous.

– Qui sait ? C'est une rusée. Pour l'attraper, celle-là… J'ai failli réussir, il y a quelques semaines. Et j'ai manqué me faire mordre par un serpent, par-dessus le marché…

Il montra son poignet bandé.

– Je ne suis pas très bon traqueur, mais Jim Gracie revient demain matin de Bathurst, et il vous retrouve tout ce que vous voulez pour quelques shillings. Surtout maintenant qu'on tient la tunique… C'est lui qui a pincé ce médecin qui avait tué sa femme. On attrapera cette gamine demain après-midi, ça ne fait pas un pli. On s'occupera d'elle.

Quinn eut un coup au cœur. *Demain après-midi.*

– « On s'occupera d'elle » ? fit Mme Porteous.

L'autre toussota.

– Elle n'a plus de famille. Je la confierai à un orphelinat.

– Oui, je ne doute pas que vous vous occuperez d'elle.

Le front de Dalton se plissa.

– Qu'est-ce que vous voulez dire ?

Les deux protagonistes s'affrontèrent du regard pendant quelques secondes, après quoi elle se détourna et désigna les alentours.

– Heureusement que vous étiez là pour veiller sur les veuves et les orphelins de Flint ! Qui sait ce qu'on serait devenus sans vous…

Robert réfléchit avant de hasarder une réponse.

– Oui, bon, je disais à M. Wakefield, avant votre arrivée…

– Aucune importance, lança-t-elle d'une voix cassante, et elle se rapprocha de Quinn.

Ses soupçons semblaient s'être miraculeusement dissipés.

– Vous l'avez peut-être connu ? lui dit-elle. Le sergent Porteous. Reg. Reginald Porteous. Grand comme vous. Blond, les yeux bleus. Large d'épaules. 13e Bataillon, 4e Brigade. Il a été à Gallipoli. En Égypte, puis à Gallipoli. L'armée m'a envoyé une lettre. Un capitaine. Le capitaine

Murray ? Nous avons deux filles. Il a été tué et enterré là-bas. À Bullecourt. Un jour, nous irons. J'emmènerai nos filles. Bientôt. Un jour. Vous savez, je n'avais jamais entendu parler de cet endroit. *Bullecourt*, répéta-t-elle avec dégoût.

« Déjà on élève un monument en ville, poursuivit-elle, comme incapable de contenir le flot de ses émotions. Une colonne avec les noms de tous les morts. C'est déjà du passé. Ces morts, c'est déjà du passé... Mais il y en a beaucoup d'autres qui ont tout simplement disparu. Et nous les veuves, sommes en nombre, également. Avec les orphelins. Ce n'est pas pour me consoler, naturellement...

Elle le regarda droit dans les yeux.

– Reginald Porteous. Ce nom ne vous dit rien, monsieur Wakefield ? P-O-R-T-E-O-U-S. Porteous.

Quinn se rappelait vaguement ce type, pour l'avoir connu dans son enfance, mais il ne l'avait pas revu dans les tranchées. Les hommes du 13ᵉ Bataillon avaient combattu aux côtés de ceux du 7ᵉ à Pozières, mais ce n'était que des silhouettes floues dans les ténèbres, des corps sans voix, attendant la mort. Mme Porteous le dévisageait en serrant son petit bouquet de ses mains gantées. Pour une raison quelconque, elle ressentait de la compassion à son égard, et de cela il lui était reconnaissant. En outre, elle lui avait sauvé la vie par sa seule présence. Il nota avec consternation une petite tache au bord du chapeau bleu, présage indubitable de la pauvreté qui l'attendait.

Un autre silence suivit cette tirade. Robert allait se remettre à lui demander ses papiers.

– Oui, déclara Quinn. Je me souviens, maintenant. Un blond. On s'est croisé en Égypte.

Le soulagement de la veuve fut palpable. Elle étouffa un petit cri.

– Vraiment ? En Égypte ?

– On y faisait nos classes. C'était un excellent tireur – un bon fusil –, si j'ai bonne mémoire.

– Oh, c'était un homme merveilleux.

– Oui, c'est vrai ! Et un boute-en-train. Je me rappelle qu'il a tenté de monter sur un chameau, au Caire, mais cette satanée bête refusait de se relever. Il s'est démené comme un beau diable – rien à faire ! Les Égyptiens ont bien rigolé à ses dépens…

– Oui, c'est tout lui ! Comme il m'a fait rire… Je donnerais tout pour le revoir. J'ai toutes ses lettres, vous savez. Il était toujours très gai, pour ne pas m'inquiéter, mais je sais lire entre les lignes… Oui, je sais lire entre les lignes.

À ce moment-là, Robert Dalton avait repris contenance et il s'interposa.

– C'est terrible, la guerre, mais mieux vaut peut-être ne pas en parler. Et maintenant, monsieur Wakefield, vos papiers…

Mais Mme Porteous le contourna et s'approcha au point que Quinn put humer une senteur d'eau de rose. Le parfum même du veuvage.

– Reg n'a pas parlé de moi ? C'est absurde, je sais, mais je ne peux m'empêcher d'y penser. La nuit, surtout… Alors, il ne vous a pas parlé de moi ou des filles ?

Quinn hésita. Il s'était piégé lui-même par ses mensonges. À la guerre, les hommes parlaient de toutes sortes de choses, triviales ou pas : leurs chéries, la maison ; ce qu'ils auraient bien aimé manger ; leur chien, leur équipe de football, le jour où le paternel leur avait flanqué une raclée pour avoir piqué des pommes. Alors qu'il agonisait, blessé par un éclat d'obus, le ventre pissant le sang, un certain Greedy Thompson avait radoté interminablement sur un poisson-crocodile qu'il avait attrapé un jour près de Bermagui – de l'avis général, jamais on n'en avait vu d'aussi gros, répétait-il sans cesse. Quinn songea à Fletcher Wakefield, regrettant de n'avoir pas dit ceci ou cela à sa fiancée avant qu'elle ne meure. Fletcher avait été tué au combat, et il devait pouvoir désormais s'entretenir avec sa fiancée sans l'aide des médiums ou leurs pareils. Il pensa également à la phrase de Mme Cranshaw, cette nuit-là : *Que diriez-vous à une femme comme elle ?*

– Oui, dit-il à Mme Porteous. Maintenant que j'y repense, il a bien parlé de vous. Il a dit que vous étiez la plus belle femme qu'il ait jamais vue. Sans aucun doute. Que vous étiez beaucoup trop bonne avec lui. C'est exactement ce qu'il a dit. Beaucoup trop bonne.

Mme Porteous parut fléchir sous le choc.

– Pouvez-vous rester un moment avec moi, monsieur Dalton ? murmura-t-elle.

– Bien sûr, mais je dois d'abord contrôler les papiers de ce monsieur, c'est mon rôle…

– Ne vous en faites pas pour lui. Ne voyez-vous pas qu'il a été blessé, pour l'amour du ciel ? Regardez-le…

Laissez-le tranquille. Au-revoir, monsieur Wakefield, et bonne chance ! Merci infiniment. Venez, monsieur Dalton. Conduisez-moi à la tombe de Ginny. Là-bas, près du buisson. Vous voyez... ?

Robert Dalton soupira mais lui prit le bras et ils s'éloignèrent entre les tombes. Quinn empocha le coquillage toujours serré dans son poing et se hâta de s'en aller. Gracie, le traqueur, serait de retour demain matin. Il fallait partir au plus vite.

QUATRIÈME PARTIE

L'ANGE DE LA MORT

24

Sadie était perchée sur une souche et croquait dans une pomme quand Quinn revint du cimetière. Il lui rapporta ce que Dalton avait dit, concernant le retour du traqueur.

– Tu en es sûr ?

– Sûr et certain.

Cela la rendit songeuse.

– *Parfois, les gens parlent d'une voix qui n'est pas la leur…*

– Quoi ?

– Un truc que maman disait… Et Thomas ? Il va bientôt rentrer. J'en suis certaine.

Quinn soupira. Il aurait fallu lui dire que son frère devait être mort. Il s'agenouilla devant elle.

– Sadie…, commença-t-il, mais le courage lui manqua. Après tout, elle croyait fermement en quelque chose, ce qui était rare en ces temps troublés. Ce n'était pas bien de gâcher cela.

– Tu m'as promis de l'attendre, tu te rappelles… ? dit-elle, comme lisant dans ses pensées.

– Oui, mais…

– Mais quoi ?

– Le traqueur te retrouvera. Dalton aussi. Tu sais ce qu'il compte faire de toi. Il te tuera. Il faut partir. Ma mère m'a donné trente livres. C'est assez pour aller n'importe où. Il faut partir maintenant. Ce soir.

Elle contempla la liasse qu'il avait tirée de sa poche, mais secoua la tête.

– C'est trop tard. S'il revient demain matin. Il a des chiens.

Elle avait raison. Déjà la luminosité déclinait. Impossible de passer par la forêt en pleine nuit, et emprunter la route, ce serait se faire repérer.

Quinn se mit à tourner en rond. Il avait une idée.

– Tu sais où il habite ?

– Bien sûr.

– Il a une femme, des enfants ?

– Des chiens, c'est tout.

– Je vais aller l'attendre ce soir. Demain matin, je lui dirai que je suis ton frère, Thomas, et qu'il est inutile de se lancer à ta poursuite. Ils se sont déjà vus ?

– Oui, mais c'était il y a des années.

– Au besoin, je lui donnerai du fric pour qu'il renonce… Mais ensuite, il faudra déguerpir au plus vite. Plus question d'attendre…

– Et Thomas ?

– Je reviendrai plus tard, dans quelques semaines. Quand ça se sera tassé…

– C'est promis ?

Il ignora sa question. Il se sentait désespéré.
– Marché conclu, mademoiselle ?
Elle se remit à grignoter sa pomme, cracha un pépin.
– Et si Jim Gracie ne veut pas… ?
Quinn observa un silence.
– Alors, je le tuerai.
Elle s'essuya la bouche et regarda les arbres pendant quelques instants, comme pour leur demander leur avis.
– Donc, cette fois, tu dois emporter le revolver…

Quinn se tenait debout – torse nu, poings sur les hanches – tandis que Sadie lui enroulait de la laine bleue autour de la taille avec la concentration d'un tailleur prenant les mesures de son client pour un costume. À une extrémité, elle avait attaché une bourse en cuir grosse comme le poing d'un enfant. Cette bourse contenait des choses jugées par elle indispensables à la réussite de sa mission : coquilles d'escargots, un caillou enveloppé dans de la ficelle rouge, des poils de barbe, sa dent cassée, une boucle d'oreilles.
– Comme cela, les chiens ne te flaireront pas, lui assura-t-elle en lui indiquant la direction. Il ne se méfiera pas. Suis la piste à partir de Willow Creek. C'est une petite maison en dur sur la colline qui surplombe l'ancien « Village des Chinois ». Tu ne peux pas la rater. Je t'attendrai ici.
– Ça ira ?
Elle trancha le fil de laine avec les dents.
– Évidemment !
– Cache-toi sous les lattes du plancher.

– J'ai toujours mon couteau.
– Cache-toi. Au cas où Robert viendrait jusqu'ici.
– Il ne pourra pas me trouver par lui-même.
Il lui saisit le bras.
– Je t'en prie !
Elle se dégagea.
– D'accord. Je me cacherai.
– Croix de bois…
– … Croix de fer !
Quinn en était venu à aimer sa gravité, qui semblait empruntée à quelqu'un de bien plus âgé.

– Je me rappelle, à ta naissance…, dit-il. Tu étais si petite qu'on aurait dit… un insecte enveloppé de couvertures. Les yeux clos. Il y avait du sang par terre et sur le lit, bien sûr. L'odeur aigre des couches. L'accouchement avait été laborieux. Tu sais qu'on a eu un frère mort-né ? C'était avant ma propre naissance. Mais cette nuit-là nous avons entendu maman hurler comme une bête depuis la véranda, William et moi. On n'avait pas eu l'autorisation de rester dans la maison. Père marchait de long en large. Ensuite, le docteur est reparti dans sa voiture à cheval et tu as crié si fort que c'était difficile de croire que ça venait d'un nouveau-né. Ça a duré toute la nuit. Maman a tout essayé, mais le lendemain matin, je t'ai prise dans mes bras et tu t'es aussitôt calmée. Dans mes bras. Tu as rouvert les yeux et tu m'as regardé comme si je t'avais sauvé la vie. La plupart des gens ne sont pas capables de se rappeler ce qui s'est passé quand ils avaient quatre ans, mais moi si. Je me souviendrai toujours de cela.

Sadie avait fini d'entortiller la laine autour de son torse. Elle leva les yeux sur lui, comme pour lui répondre, mais se ravisa. Elle écarta une mèche de cheveux, fouilla dans sa boîte à trésors et, toujours à genoux, lui prit la main et glissa un gros anneau à l'un de ses doigts.

– Cela t'aidera aussi. L'or, il n'y a pas mieux. Celui-ci a sans doute été extrait de nos collines. Et maintenant, va... Bientôt, il fera nuit.

De ses deux mains, elle réunit les vestiges de ses choses secrètes – amulettes, bibelots, laine et autres breloques – et les fourra dans la tabatière.

Quinn leva sa main pour admirer l'anneau. *D'or étaient les dieux. D'or leur radieuse parure, et d'or leur armure...*

– D'où ça sort ? dit-il.

Mais elle s'était éclipsée. De la pièce à côté, il entendit remuer les planches qui masquaient sa cachette. Il vérifia l'état du revolver et se mit en route.

À l'heure où il arriva en vue de la maison du traqueur, un vent torride s'était levé. Il se tint au pied de la colline, parmi les herbes dorées par les feux du crépuscule. Elles arrivaient au niveau de ses hanches et ondulaient comme de la soie. Il souleva son chapeau pour s'essuyer le front. Il avait la nausée et l'impression que, s'il l'avait voulu, le vent du nord aurait pu l'emporter comme une plume. Si seulement...

Au bout de quelques minutes, il ressentit des vibrations, comme si la terre tremblait, mais cela se produisait en fait dans son propre corps – dans ses intestins et jusque dans ses genoux. Sa main se mit à trembler, puis tout son bras. La peur, donc. L'humaine frayeur. Elle lui était familière depuis ses années de guerre – aussi familière que le fracas des canons et l'odeur de la fange.

Sous sa chemise sale, il sentait le contact de la laine et de la bourse en cuir contre ses côtes. Ces simagrées puériles avaient quelque chose de réellement protecteur ; après tout, Sadie savait indubitablement des choses ignorées du commun des mortels.

Enhardi, il grimpa la côte, se glissa entre les barreaux de la clôture et traversa la cour où des poules picoraient. Le type ne devait pas être revenu. La maison était en pierre, le toit en écorce. Des boîtes et des bocaux étaient éparpillés sous un gros eucalyptus qui dispensait une ombre clairsemée. Il monta les marches, ouvrit la porte et se tint sur le seuil, le temps de s'habituer à la pénombre.

Même avec la porte ouverte, l'intérieur était dans le noir. L'unique fenêtre était voilée par un rideau de dentelles en loques. Il y avait des odeurs de chien et de viande séchée. Une maigre silhouette se matérialisa, clignant des yeux. Un homme.

– Qui t'es, toi ?

25

Il entendit des bruits de griffes, labourant frénétiquement le plancher. Le sol tourbillonnait à ses pieds, les chiens se bousculant pour flairer ses mollets.

– M. Gracie ? demanda-t-il d'une voix faible.

– Oui, fut la réponse méfiante.

Jim Gracie était assis sur un lit de camp, contre le mur. C'était un homme déguenillé, aux avant-bras noueux comme du cordage. Peur et indécision clouèrent Quinn sur place. Sur le moment, il crut reconnaître Gracie – donc, l'autre allait comprendre qu'il n'était pas Thomas Fox. Quelle idée idiote. Son revolver était coincé dans la ceinture de son pantalon, mais il était incapable de bouger et craignait de manquer d'air. Ce fut passager. Non. Il ne connaissait pas plus ce type que ce dernier ne le connaissait.

Le traqueur se pencha et posa sur lui un regard trouble avant de diriger son attention vers ses chiens. Il donna un méchant coup de pied à l'un d'eux qui alla se réfugier, penaud, dans un coin.

– T'es qui, toi… ?

Quinn essuya sa bouche déshydratée.

– En tout cas, t'es pas causant…

La main de Gracie papillonna dans les airs, exhibant une paume crasseuse.

– Les chiens me le disent toujours, quand quelqu'un se ramène, ce qui est rare. T'as dû voler jusqu'ici comme un oiseau… ou un ange. T'es perdu ?

Il fit non de la tête.

– Alors, où tu vas ? Le patelin le plus proche est à deux kilomètres. Flint. C'est pas terrible…

Il était agité, peut-être même effrayé. Quinn avait du mal à comprendre son débit traînant. L'un des chiens revint leur flairer les pieds. Quinn fut pris d'une quinte de toux. Sa poitrine était pleine de charbons ardents.

– Vous n'auriez pas de l'eau ? dit-il, quand il eut retrouvé sa voix.

Gracie hésita, mais se leva en râlant et alla verser un peu d'eau dans un quart cabossé. Quinn se redressa pour boire.

Le traqueur recula, mit la main devant son nez et sa bouche.

– T'aurais pas attrapé cette cochonnerie, des fois… ?

– Non. Je n'ai pas la grippe, si c'est ce que vous voulez dire.

– Foutus bolcheviques !

Quinn reprit une gorgée.

– Quoi ?

– C'est leur faute, tout ça. Ils ont mis des grenouilles et des araignées dans l'eau, à Sydney, des cadavres. Salauds…

– J'ai été gazé à la guerre.

– Ah oui ! J'ai entendu parler de ça. On dit que c'est la Fin du Monde. Le type à l'église – M. Smail – c'est ce qu'il dit. Des sauterelles grosses comme des chevaux. Avec des longs cheveux de fille. Des dragons, un agneau. Il m'a dit que Dieu nous attendait dans les nuages. Dieu le Père. Une pluie de sang, tout ça. La guerre…

Il ajouta quelque chose et se signa.

– T'en dis quoi ?

Quinn haussa les épaules. Il se tenait toujours sur le seuil et commençait à douter de l'opportunité de sa démarche. Ce type était fou. Malgré l'obscurité, on pouvait voir que la maison était relativement bien tenue, hormis le fouillis dû à la pauvreté. Il y avait un banc de bois brut face au lit de camp. Les murs étaient tapissés ici et là de pages de journaux jaunis. Sur la table, au milieu de la pièce, le broc émaillé d'où provenait l'eau qu'il avait bue. Les deux chiens qui puaient clignaient des yeux dans l'obscurité – leurs formes se confondaient presque avec le sol en terre battue.

Gracie lui posa une question.

– Quoi ?

– À ton avis, qu'est-ce qui arrive aux soldats morts à la guerre et tout ça… ?

Quinn eut un geste d'impuissance des deux mains. Le moment était mal choisi pour une discussion théologique.

– Ce Smail, il dit qu'ils vont au paradis, mais moi, j'dis que le paradis, ça peut pas être aussi grand !

Pas bête, comme argument. Ils étaient si nombreux. Avec la guerre et l'épidémie, les morts devaient surpasser en nombre les vivants. Les côtoyer…

Gracie rafla son quart et le reposa sur la table, souhaitant visiblement mettre un terme à leur conversation. Il alluma deux bougies qui diffusèrent une lumière chiche.

– Faut se méfier, quand on se balade dans ces collines. Les anciens puits de mine… C'est risqué. Tu tombes là-dedans, t'es cuit…

Sur ce, il se détourna pour tripoter quelque chose. Quinn resta dans l'embrasure de la porte.

– Il faut que je vous parle d'une petite fille.

Le traqueur s'interrompit, grommela et fit volte-face. Quinn s'aperçut que c'était un fusil, ce qu'il manipulait. À vue de nez, un Lee-Enfield tout cabossé. Gracie revint en traînant ses pieds nus. Ses yeux scintillèrent.

– Une petite fille, tu dis… ? Qui ça ?

– Ma sœur. Elle vit dans les collines.

Gracie le regarda comme s'il avait proféré une insanité.

– Ta sœur ?

– Oui. Elle s'est réfugiée là-haut depuis que notre mère est morte de la grippe.

– On m'a parlé d'elle.

– Qu'est-ce qu'on a dit ?

L'autre baissa la tête, maugréa.

– Quoi ?

– Je sais que M. Dalton s'en fait pour elle. Il faut la sauver, qu'il dit. Je t'avais pris pour lui. Je croyais qu'il était pressé. Il veut que… je l'aide à la trouver. C'est complètement désintéressé…

D'une tape, Quinn écrasa un moustique qui se gorgeait de son sang, sur sa nuque.

– Non. Ce n'est plus la peine. Je suis son frère, Thomas. Je vais m'occuper d'elle, dorénavant. Voilà pourquoi je suis venu. Pour vous prévenir.

– C'est toi, Thomas ? Je te remettais pas…

– J'ai été blessé à la guerre…

Gracie le considéra.

– Faut en causer à M. Dalton, pas à moi. C'est lui qui décide. C'est lui qui m'a demandé de l'aide. Le frère est mort à la guerre. C'est ce que m'a dit M. Dalton il y a très, très longtemps, avant que j'aille à Bathurst. On la trouvera. Les chiens suivront sa piste.

Il porta le bout de ses doigts à son nez.

– À cet âge-là, elles ont une odeur particulière. Mes chiens peuvent retrouver n'importe qui, n'importe où…

Quinn commençait à se sentir flotter. Le décor se brouilla. Gracie le scrutait et parlait dans une langue qu'il ne comprenait plus. Les flammes vacillantes des bougies baignaient la pièce d'une lueur surnaturelle.

De nouveau, le traqueur lui mit le quart dans la main. Quinn but. Quelque chose de chaud et d'amer enflamma sa trachée. Alcool. Cela déclencha une quinte de toux. Il s'étrangla mais en but encore. Gracie tira une chaise et le fit s'y asseoir.

Plusieurs minutes s'écoulèrent avant qu'il ne puisse recouvrer la vue et reprendre ses esprits. Le quart vide était dans sa main, et Gracie s'était assis sur un seau en fer-blanc retourné. Il reposa le quart sur la table. L'alcool ne brûlait plus aussi cruellement, et à la place une chaleur bienfaisante se répandait en lui.

– Comment s'appelle ce truc ? demanda-t-il.

L'autre eut un sourire.

– Ça s'appelle pas... C'est juste de la gnôle. Un type près de Gray's Creek la fabrique. Pas mal, non ? Et maintenant, t'es sûr de toi, pour ta sœur ?

– Bien sûr.

– Elle a... quoi ? Douze... treize ans ?

Quinn se redressa sur sa chaise.

– Sadie ? Oui.

– C'est bien elle...

Cela le rendit songeur.

– Sadie, hein ? La pauvre. Ce M. Smail à l'église dit que c'est notre faute, cette épidémie. Le Seigneur envoie pour nous punir un terrible fléau qui va tous nous anéantir. Nous avons péché, et nous allons payer. Il doit avoir raison.

Il fit claquer sa langue.

– Donc, tu vas te charger d'elle ? C'est bien.

– Oui.

– Où l'emmènes-tu ?

Il répondit la première chose lui passant par la tête.

– Londres.

– Ah, bien. C'est pas la porte à côté ! C'est là où crèche ta bourgeoise ?

– Je ne suis pas marié.

Gracie leva sa main gauche et remua les doigts.

– Et cette bague ?

Quinn l'avait oubliée. Elle brillait faiblement. Il comprit qu'il était déjà ivre malgré la modeste dose de gnôle.

– Ah oui…, dit-il. Oui, j'ai été marié, mais elle est morte il y a longtemps…

Gracie acquiesça et grommela des condoléances.

– Elle a été assassinée.

Les yeux de l'autre s'écarquillèrent. Il se redressa sur son siège et s'essuya la main après son ventre. Soudain pris de folie, les deux chiens tournaient de plus en plus vite autour des mollets de Quinn – tels les tigres de la fable qui finissent par se transformer en beurre.

– Elle était très belle, dit-il au milieu du vacarme. Tout le monde le pensait, pas seulement moi. Comme un ange, disait-on. Elle adorait jouer. Vous connaissez ce jeu où il faut se débarrasser de toutes ses cartes avant l'adversaire ? Un jour, la partie a duré six heures. Elle n'avait pas voulu me lâcher alors que j'avais des trucs à faire pour mon père, et j'ai eu droit à une bonne raclée quand il l'a su…

Gracie secoua la tête. Visiblement, il n'avait aucune idée de ce qu'on lui racontait.

On manquait d'air dans la maison et les multiples plaies sur le corps de Quinn avaient commencé à brûler et à le démanger. Il ôta sa veste pour se gratter.

– Deux hommes l'ont enlevée un jour… Ils l'ont violée et tuée.

Gracie prit un air terrifié. L'un des chiens gémissait.

– Bon sang… Et ensuite, que sont-ils devenus, ces types-là ?

Songeant à ce que sa mère lui disait, il répliqua :

– C'est à Dieu qu'appartient la vengeance.

– Vous y croyez vraiment… ? Vous croyez que Dieu nous surveille, qu'il tient compte de tous nos actes ?

Quinn contempla le fond de son quart.

– Certainement…

– Vous priez pour cela ? Pour qu'il se venge ?

– Je suppose. Entre autres choses…

Ils gardèrent le silence pendant quelques minutes avant que Quinn parvienne à reprendre la parole.

– Je peux en avoir encore un peu, monsieur Gracie ? De cette gnôle… ?

Gracie remplit le quart à ras bord et s'accroupit par terre, les coudes sur ses genoux osseux. Il opinait.

– T'es pas Thomas, mais je sais qui tu es…

Du fond de sa mélancolique rêverie, Quinn ressentit une faible poussée d'adrénaline, mais il continua tout de même. Il fouilla dans sa poche et en tira la liasse de billets, avec le coquillage qu'il avait ramassé près de la tombe de Sarah et le bouton rouge provenant de sa robe, et qu'il avait pris à Sadie. Le traqueur considéra tout ceci dans la paume sale de Quinn.

Ce dernier avala encore un peu d'alcool.

– Ça, c'est pour vous, dit-il en désignant l'argent. Cadeau. Pour que vous ne nous retrouviez pas, Sadie et moi. Vous voulez bien ? On doit s'en aller d'ici. C'est l'affaire de quelques jours.

– Oui ! T'en fais pas. Je mettrai Dalton sur la mauvaise voie. Il est complètement perdu dans le bush. Mais c'est un méfiant. Au bout de quelques jours, il m'interrogera…

Tant d'enthousiasme était intriguant, même compte tenu de la somme offerte.

– Mais puis-je vous faire confiance ? Dalton est un homme terrible...

– Je sais ! Il m'a fait faire des choses ! Il m'a induit en tentation. C'est le diable !

Gracie gesticula, désignant sa masure.

– Moi, j'ai rien. Je t'attendais, tu sais. Je sais qui t'es. M. Smail dit qu'on sera tous jugés un jour pour nos mauvaises actions. Nos péchés nous poursuivent. J'ai beaucoup prié, tu sais, parce que j'ai aidé M. Dalton à faire des choses...

Quinn, qui n'écoutait pas vraiment, branla du chef et but encore un peu. Il attendit que la nausée passe, faisant place à cette chaleur chimique plus agréable. Quand il reprit la parole, ce ne fut qu'au prix d'une intense concentration et il fut content de détecter une raideur dans sa voix.

– Mais qui suis-je, selon vous, monsieur Gracie ? Qui suis-je... ?

Jim Gracie pinça les lèvres et haussa les épaules, comme si c'était l'évidence même.

– Toi, t'es l'Ange de la Mort.

Ils se dévisagèrent dans la lueur tremblante. Un papillon de nuit alla se griller les ailes à la flamme d'une bougie. Quinn était ivre et gagné par l'envie absurde de dormir. C'était comme si toutes les parties de son corps étaient envahies par une lassitude irrésistible.

Il but le reste de gnôle. Il en coula un peu sur son

menton. Péniblement, et après plusieurs tentatives maladroites, il déposa l'argent sur la table, en même temps que le bouton et le coquillage. Tout en sachant que c'était une erreur, il ferma les yeux. Il entendit la voix de Gracie qui continuait à déblatérer de sa voix rouillée.

En rêve, il se vit marcher parmi des fleurs noires, grosses comme des boutons, qui recouvraient ses bottes. De ces fleurs émanait un étrange parfum, comme de vieux chiffons. Le pré semblait s'agrandir au fur et à mesure, mais quand il eut atteint le milieu, les fleurs s'envolèrent et il s'aperçut que c'était, en fait, des milliers de petits corbeaux qui battaient des ailes autour de son visage, occultant l'horizon. C'est à ce moment-là, ancré dans ce silencieux cauchemar, qu'il comprit où il avait déjà vu Jim Gracie : c'était lui, l'homme qui plaquait à terre Sarah.

26

Lorsqu'il revint à lui, il était allongé par terre. Sa tête semblait contenir un truc lourd et palpitant. Il faisait noir, mais dehors on entendait les oiseaux. Des poules gloussaient, s'agitaient dans la cour. Où était-il ? Au bout d'une minute, il se rappela – chez Gracie. Il pesta et se redressa sur son séant, ce qui ne fit qu'aggraver sa migraine.

À en juger par le courant d'air frais, la porte devait être ouverte. Il tâtonna et repéra son revolver et sa veste, qui étaient à côté de lui. Aucune trace de Gracie, mais sur la table se trouvait ce qu'il y avait déposé la veille – argent, coquillage et bouton. Il empocha le tout. De l'extérieur lui parvint une longue et faible plainte.

Il endossa sa veste et, serrant son revolver, alla sur le porche. Le soleil s'élevait au-dessus des lointaines Blue Mountains, bordées d'un brumeux ourlet lumineux. Il appela Gracie par son nom, mais le seul résultat fut une légère augmentation de la hauteur et fréquence des gémissements canins. Il ne pouvait les voir dans ce demi-jour, mais sentait leur regard brillant, hostile.

Une brise soufflait sur la colline. L'eucalyptus grinçait. De nouveau, il cria, mais Gracie avait dû déguerpir. Et s'il était allé retrouver Dalton ? Au moins les chiens étaient encore là, donc il ne s'était pas encore lancé à la recherche de Sadie. Que lui dire, à elle ? Il imagina la terreur sur son visage, quand elle avait compris ce qui allait arriver ; comme elle était parvenue à articuler un *Non* oppressé avant qu'une main se plaque sur sa bouche ; comme elle s'était débattue, comme elle avait mordu son oncle ; le raclement de sa chaussure, le rire bruyant de Dalton.

La nuit commençait à faire place au froid mordant du petit matin. Quinn s'avança dans la cour et fit le tour de la maison ; la masse se découpait à présent contre le ciel grisonnant. Son haleine formait des petits nuages. Sa langue était épaisse et pesante, cotonneuse. Bientôt il fut en mesure de distinguer des formes plus modestes. Le tracé d'une clôture, un seau en fer-blanc. Il trébucha sur un bout de bois.

En atteignant l'eucalyptus, il constata qu'un des chiens avait adopté une posture ramassée : le poil hérissé, la tête basse, montrant les crocs, l'œil brillant. Il se mit à gronder de façon menaçante. L'autre l'imita et ils s'apprêtèrent à attaquer. Quinn brandit son revolver d'une main tremblante. Il recula jusqu'à ce que les branches de l'arbre se profilent contre le ciel, tel un éclair laiteux.

Et c'est là qu'il le vit : Jim Gracie, flottant au-dessus du sol, le torse luisant, les yeux exorbités. Sa tête ballottait, sa langue était enflée et violacée. Son pantalon pendouillait contre ses hanches étroites et une tache sombre dégoulinait le long d'une jambe. La forte odeur d'excréments humains. La corde grinçait, berçant nonchalamment son fardeau. Quinn tituba en arrière, incapable de détourner son regard. Longtemps, il contempla le pendu. Plutôt que vengé, il se sentait soulagé, et n'avait guère le sentiment d'avoir gagné quelque chose.

Finalement, il se retourna et partit en courant. Il franchit la barrière à toute allure, paniqué à l'idée d'être poursuivi par les chiens, guettant les coups de crocs baveux sur ses talons – mais il n'entendait que ses propres halètements et les pulsations de son cœur.

Quelques minutes plus tard, il fut terrassé par une quinte de toux et tomba à genoux, vomit. Tout autour de lui, des oiseaux sifflaient, criaillaient. Sous ses genoux le sol était mouillé de rosée et tapissé d'écorce. C'était satisfaisant de plonger ses mains à travers pour atteindre le terreau fertile.

Une voix le fit sursauter.

– Quelle saloperie, hein ?

À une dizaine de mètres, couché sur le flanc, se trouvait un soldat d'à peu près son âge. Ses bottes et bandes molletières étaient maculées de boue et il hochait la tête comme si obtenir son approbation était très important.

Quinn se releva péniblement.

– Qui êtes-vous ?

Le soldat lui fit signe de se baisser.

– Attention, mon vieux ! Ça va pas la tête ?

Il obéit. L'autre le détailla du regard. Ses exhalations étaient visibles dans le froid du matin.

– Ça va ?

Quinn fit signe que oui, et du pouce indiqua d'où il venait.

– Terrible, hein ? dit le soldat.

– Vous avez vu... ?

– Si j'ai vu... ? C'est pas passé loin, hein... ?

Un oiseau interpréta une élégante chanson dans les arbres.

– C'est sûr que t'as rien ? Ton bras tremble drôlement...

C'est alors seulement qu'il s'aperçut que son bras tressautait, comme pour se détacher de son épaule. Il le serra entre ses cuisses.

– C'est rien. Les nerfs... C'est les obus, tu sais. Les obus...

L'autre approuva. Comme le jour se levait, Quinn constata qu'ils étaient au milieu d'autres hommes, qui fumaient ou dormaient, allongés par terre. Certains avaient la tête ou les jambes bandées ; d'autres le bras en écharpe ; ils regardaient autour d'eux, hébétés, et se grattaient. L'atmosphère était chargée d'odeurs de boue et de gaz, de relents des pansements ensanglantés. Au loin, il distingua les contours d'une charrette à bras où s'entassaient des cadavres, des lambeaux d'uniformes, des restes humains. Un cheval frappait la terre de son sabot, comme fâché de ne pouvoir creuser sa propre tombe. On entendait des canonnades. Quelqu'un, tout près, pleurnichait. Ça brisait le cœur, d'entendre pleurer un homme. Des coups de fusil.

Quinn s'essuya les mains sur sa chemise. Il avait besoin de bouger, de se tirer d'ici.

– Tu connais pas un dénommé Shawcross ? lui lança le soldat. Keith Shawcross ?

Quinn l'ignora. Son bras, au moins, ne tremblait plus. Il se releva et se fraya un chemin à travers les cadavres et les hommes endormis. Le sol était terne, poisseux de sang.

Le soldat se rongeait un ongle.

– Je me disais bien… C'est un pote. Je me demande s'il s'en est sorti. On ne sait jamais, hein ? Mais je crois qu'il s'en est tiré. Il a de la chance…

– De la chance ?

– De la chance d'être encore en vie. Fais gaffe, mon vieux. C'est encore dangereux par-là…

Il faisait complètement jour au moment où il parvint à rentrer chez lui, mi-courant, mi-titubant. Il imagina la lugubre satisfaction de Sadie, quand elle apprendrait le suicide de Gracie. Il cria son nom dès qu'il entrevit la cabane entre les arbres, mais elle devait être encore cachée sous le plancher. Brave petite. Il déboula à travers la cuisine mais fut stupéfait de voir que les lattes qui recouvraient la cachette avaient été déplacées et que le couteau était par terre. L'affolement le gagna. Il cria encore son nom pour la rassurer.

Ensuite, il se mit à quatre pattes et inspecta l'endroit.

– Sadie ?

Dans la lumière vaporeuse, il discerna une épluchure racornie, des couvertures sales, des dizaines de cailloux et briques cassées, parfois ficelés avec de la laine. Il y avait un tas de coquillages, l'empreinte d'un corps dans la terre. Mais pas de Sadie.

Complètement paniqué, il retourna dehors et hurla, très fort cette fois. Rien. Elle avait disparu sans laisser de trace. Il y avait les vestiges du feu où ils avaient fait griller les restes d'agneau. Des os jonchaient le sol. Des corbeaux croassaient dans les arbres. Un passereau sautillait sur une branche. Seuls les oiseaux avaient dû voir ce qui s'était passé, où elle était allée, et avec qui. Une fois de plus, il cria son nom et attendit. Puis, il vit la tabatière à ses pieds. Elle était ouverte et, éparpillés parmi les feuilles, il y avait une carte à jouer, des billes et certains des osselets. Il la ramassa : tout ce qui restait à l'intérieur, c'était une vignette publicitaire en couleur représentant une élégante glissant un pli dans une boîte aux lettres rouge, à Londres. La sueur ruissela sur son visage. Où était-elle passée ? Là, il réalisa : Robert Dalton s'était débrouillé pour retrouver sa trace. Il l'avait entraînée dans la remise de Wilson's Point.

Il se mit à courir sans avoir réfléchi au meilleur moyen pour s'y rendre. Aucune importance ; ses jambes, s'activant indépendamment de son esprit ou du reste de sa personne, l'entraînèrent au bas de collines et par-delà des ravines dont il ne se rappelait pas. Il regrettait de n'avoir pas pris le fusil du traqueur, mais son revolver devrait suffire.

Çà et là, se trouvaient les carcasses rouillées d'équipements miniers, les murs écroulés des maisons construites en terre. Des lézards filaient sous ses pas, et une bande de kangourous hautains s'éloigna en bondissant sur son passage. Tout en courant, il parlait à Sadie pour la rassurer. *J'arrive. Ne t'inquiète pas. Ne t'inquiète pas.* Dans son imagination, ses propres paroles tombaient de ses lèvres comme des petits cailloux qui leur permettraient de retrouver leur chemin, quand il l'aurait sauvée. Un sourire fendit son visage, sous sa barbe. Il se sentait vivre comme jamais, depuis qu'il avait quitté l'enfance, et son environnement s'en trouvait doté d'une énergie égale. *Bientôt. Je serai bientôt là. Tiens bon.* Les arbres crépitaient d'enthousiasme. Ils le pressaient d'avancer, leur feuillage vibrait. La forêt s'ouvrit devant lui et il s'abandonna à son courant.

Il arriva à Wilson's Point quinze minutes plus tard. Le niveau du réservoir en forme de haricot était bas. La remise était à trois cent mètres de là où il venait d'émerger, dans les fourrés. Il vérifia qu'il avait bien son revolver avant de patauger dans les mares fangeuses, veillant à ne pas être vu. Il était décidé à ne plus s'arrêter, malgré la douleur aux poumons. *J'y suis presque.* À la perspective de capturer son oncle et d'arracher Sadie à ses griffes, il exultait. L'avenir se dessinait devant lui, plus tangible que tout ce qui appartenait au passé. *T'en fais pas.* Il se fraya un chemin à travers les roseaux de la rive et escalada les rochers. Il se sentait près d'éclater. *J'y suis presque.* Il aurait le courage qui lui avait manqué, jadis. Il défoncerait d'un coup de pied la porte qui pendait après ses gonds. Il braquerait son revolver.

Et c'est bien ce qu'il fit.

27

La porte pivotant franchement, il constata aussitôt que la cabane était vide. Douleur et confusion l'envahirent. Personne. En fait, l'endroit semblait n'avoir plus été occupé depuis le drame. Un couple de cacatoès s'envola de son perchoir, poussant des cris rauques dans le demi-jour, et s'échappa par le toit. Il y avait un tas de bois pourri dans un coin. Une fougère poussait à travers le plancher. Il se tenait là, hors d'haleine, le revolver dans son poing tremblant. L'adrénaline circulait dans son corps. L'ensemble puait le bois moisi, les toiles d'araignées, les déjections d'animaux – le viol et le meurtre. Si seulement les ténèbres avaient pu parler…

Décontenancé et épuisé, il s'affaissa sur ses talons pour reprendre son souffle. Le bas de son pantalon était imprégné d'eau et de boue. Au bout d'un moment, il s'écroula tout à fait sur les planches moisies. Ainsi, tout allait donc finir comme ça avait commencé : à Wilson's Point, en regrettant le jour de sa naissance. D'abord l'exil, puis la guerre. Tout était en ruine. Tout. Il se coucha par terre et sanglota.

Combien de temps était-il resté là, les yeux fermés, il l'ignorait, mais au bout d'un moment il perçut les échos d'un chœur. La population de Flint venait le chercher. Il les imagina, piétinant les berges du réservoir, glissant ici et là dans la gadoue. Son père et son oncle en tête ; ensuite Jack Sully et sa démarche branlante ; Mme Porteous en vêtements de deuil ; la vieille Mme Crink et son regard embrumé, avançant avec sa canne ; Bluey et McLaverty ; les frères Harvey ; Evelyn Higgins. Il ouvrit les yeux comme si cela avait pu l'aider à mieux entendre, mais les voix se perdirent dans le vent. Aucune importance. Bientôt ils allaient faire irruption pour s'emparer de lui. Ils le tabasseraient et lesteraient ses poches avant de le jeter dans le réservoir, comme le faisaient les chercheurs d'or avec les hors-la-loi, dans l'ancien temps. Et c'en serait fini. Il ne fallait pas s'étonner de ce dénouement : dans toute entreprise, l'échec pouvait prendre de multiples visages tandis qu'il n'y avait qu'un « happy end » possible. Les croûtes et cicatrices sur sa peau l'irritaient.

Par terre, des centaines de fourmis trottinaient, transportant des fragments de feuilles dans leurs mandibules. Si nombreuses, si insignifiantes. Enfant, il avait été fasciné par les insectes et les araignées, et avait passé beaucoup de temps à examiner « redback », mille-pattes et cigales. Tout comme les humains, elles vivaient dans leur propre monde, croyant en connaître les limites. Il se demanda si c'était ainsi que Dieu voyait l'espèce humaine, vaquant à ses occupations quotidiennes. Comme ce devait être simple de laisser fleurir guerres et fléaux, quand les souffrances individuelles étaient si lointaines ; comme ce devait être facile de les laisser tuer, souiller leurs prochains. Sans importance étaient les affaires humaines.

De nouveau, il perçut des cris, mais ne bougea pas. On le trouverait bien assez tôt. Juste sous son nez, une fourmi fit le beau comme un chien. Elle gesticulait avec ses minuscules mandibules, retomba sur ses six pattes, s'éloigna et se remit debout. Quelqu'un parlait. *Elle n'est pas là*, disait la voix. Il fourra un doigt dans son oreille dans l'espoir de la déboucher. La fourmi était à présent juste là. Elle parlait d'une voix rauque, répétant à l'infini la même chose. *Il l'a mise en prison. En prison.* Elle secoua sa tête, retomba au sol et s'éloigna. Il entendit ses pattes sur les planches et c'est seulement alors qu'il comprit que ces voix étaient celles des fourmis qui grouillaient sur ces planches pourries.

Quinn ramassa son revolver et se releva péniblement. Ce n'était pas seulement les voix des fourmis, mais celles de toute la forêt qui bourdonnaient à ses oreilles. Comme si un formidable moteur s'était mis en route, l'atmosphère vibrait de conversations, d'exhortations pressantes et de lamentations. Il avait l'impression qu'en s'appliquant un peu, il pourrait saisir le timide chuchotis des brins d'herbe. *Il l'a mise en prison. En prison.* Peut-être n'était-ce pas trop tard, après tout ? Il sortit en coup de vent de la cabane et replongea dans la forêt, prenant cette fois la direction du poste de police, de l'autre côté de Flint.

Il passa devant le petit barrage et le périmètre de la Mine de l'Épervier, à l'est de Flint. Au bout de dix minutes il surgit de la forêt comme un ermite illuminé. Il avait perdu sa veste quelque part, et parsemant sa chemise malpropre il y avait les décalques sanglants des croix et autres hiéroglyphes gravés sur son corps. Il traversa la rivière et contourna les marécages, se reposa à l'ombre d'un bouleau. De l'église anglicane lui parvenaient les flux et reflux de voix chantant un cantique. On devait être un dimanche. Le poste de police était à cinquante mètres de là, de l'autre côté de la petite route.

Un cheval gris était attaché à la barrière et un mouton broutait dans l'ombre profonde de l'orme du jardin. La bicyclette du policier était appuyée contre le mur en grès du poste. Le cœur de Quinn se gonfla de peur, mais ce n'était pas le moment d'hésiter. Il traversa et entra dans le bâtiment frais et sombre. Cette fois. Cette fois, justice serait faite.

28

Son oncle était en train de roupiller dans son fauteuil. Il fit mine de se lever, mais Quinn eut la force de traverser la pièce en deux pas et de lui fourrer le revolver sous le nez à temps. Il l'aurait bien abattu tout de suite, mais non : Dalton devait savoir pourquoi. C'était ça, la justice.

Ce dernier grommela, se couvrit le visage des deux mains, et s'affala dans son fauteuil. Sa main gauche était toujours bandée.

– Où est-elle ? dit Quinn.

– Encore toi !

– Où est-elle ?

– De quoi parles-tu ? Baisse ce flingue. C'est moi la police, ici. Me menace pas, mon vieux, ou je...

Quinn agita le revolver.

– Dis-moi où elle est, ou je te bute...

Dalton était parvenu à se mettre debout, mais il s'inclina de nouveau sous cette menace. Sur son bureau s'entassaient des livres et des papiers, une assiette en fer-blanc contenant une carcasse gluante de poulet rôti. Bizarrement, ça sentait l'encens, comme à l'église.

– Non..., dit-il d'une voix mourante.

– Tu ne me reconnais toujours pas, hein ?

– Quoi ? Si, le type du cimetière, l'autre jour – Wackfield ? Wakefield ? J'aurais dû t'arrêter tout de suite.

– Essaie donc. Approche. Lève-toi et regarde-moi bien en face...

Dalton s'exécuta. Puis son regard s'abaissa sur les motifs sanglants, sur la chemise de Quinn.

– Alors ? fit celui-ci.

Des gouttes de sueur perlaient sur ce front rose et il avait une égratignure fraîche au cou, sous l'oreille. Sa braguette était défaite et sa bedaine débordait du ceinturon. Il l'implora d'un geste.

– Baissez ce revolver, s'il vous plaît...

– Alors, tu ne me reconnais pas... ?

– Je... je vois pas. Dites-moi, vous, si c'est si important...

– Je suis ton neveu.

Dalton fit un pas en arrière. Sa bouche se fendit d'un rictus et il tendit ensuite le cou, comme une tortue.

– William ? Pas le petit Quinn... ? Pas possible... On a dit que t'étais mort. J'ai vu le télégramme moi-même.

– Celui où on dit que j'ai été tué au combat ?

Son oncle était estomaqué. De nouveau, il l'examina.

– C'est ridicule. Tu ne lui ressembles pas.

– De l'eau a coulé sous les ponts...

– C'est vrai...

Dalton se passa la main sur le front.

– Prouve-moi que c'est la vérité, dans ce cas.

– Je n'ai pas de papiers.

– Alors, pourquoi devrais-je te croire ?

Quinn réfléchit.

– Je suis né en 1893. On m'a donné le nom de mon grand-père maternel – ton propre père. Quinn Dalton, qui a péri en mer, le bateau qui faisait la liaison entre Shanghai et Hongkong ayant coulé. Sarah est née en 1897. Tu es venu ici en... 1894, il me semble. Ou 1895. Certains ont dit que tu avais été obligé de quitter Londres.

L'avait-il cru ou pas ? Dévoiler son identité s'avéra une mauvaise idée : son oncle semblait moins effrayé. Il rajusta son pantalon, tira sur sa veste. Son regard allait et venait dans la pièce, cherchant peut-être son propre revolver.

– Et alors ? Connaître des dates, c'est à la portée de n'importe qui. Barre-toi et je te foutrai la paix... Allez, du balai !

Mais Quinn lui fit signe de reculer contre le mur et il retrouva le revolver parmi le fatras amoncelé sur le bureau. Il le fourra dans la poche de son pantalon.

– Où est Sadie ?

Dalton l'examina. Il semblait prêt à répondre, quand il se ravisa. Il eut un renvoi.

– Alors ?

De nouveau, il s'essuya le front et hasarda un rire sans joie.

– Tu me dégoûtes ! Pourquoi revenir ? T'as fait le malheur de ta mère... T'as de la chance de t'en être tiré.

– De la chance… ?

– On t'aurait pendu, tu sais. Moi-même, je l'aurais fait de mes propres mains. Pauvre petite. Je t'ai vu, Quinn. Je t'ai vu avec ce couteau. Tu ne peux pas me tromper. Ton père aussi, il t'a vu. Tout le monde sait que tu es coupable. On se moquait du couple que vous formiez, ta sœur et toi. Tu sais le surnom qu'on vous avait donné ? Tu le sais ?

– Moi, j'ai vu ce que tu lui as fait. Toi et ton complice, Gracie. Par un trou dans le mur. J'ai entendu ce que tu as dit ce jour-là, après… après…

Il s'étrangla, à peine capable de répéter ces mots :

– Tu as dit : *Bonne journée pour la chasse, finalement.* J'ai tout vu. J'ai vu ce que tu as fait à ma sœur. Comment tu t'es disputé ensuite avec Jim Gracie. C'est toi le monstre, pas moi…

Dalton se dandinait sur place. Son regard se promena dans la pièce.

– Tu ne sais pas de quoi tu parles. Tu devrais avoir honte.

– Oh, j'ai honte… Et maintenant : où est-elle ?

– Il n'y a personne ici, à part toi et moi…

Il lorgnait le revolver de Quinn.

– Alors, c'est bien toi ? Tu as beaucoup changé. Et si on prenait un verre, nous deux ? Histoire de se détendre… T'as l'air vanné, tu sais !

Quinn le laissa s'approcher du bureau et dénicher une bouteille dans son tiroir. Son oncle s'installa dans son fauteuil et remplit deux verres. Il en poussa un dans sa direction. Quinn refusa d'un signe de tête.

– Où est Sadie ? Je sais que tu l'as cherchée.

Dalton dégusta son verre à petites gorgées.

– Oui, c'est vrai. J'ai l'œil sur cette petite. Sa mère est morte de la grippe, tu sais, il y a quelques semaines. La pauvrette n'a plus personne. Son frère à la guerre, plus de père... J'ai contacté un orphelinat à Bathurst, qui accepte de la recueillir. Ça fait partie de mon boulot. Elle ne peut plus mener cette vie, pas vrai ? Assieds-toi, Quinn, bon sang... Tu me rends nerveux...

– Tu croyais t'en tirer, mais pas de chance. Je t'ai vu ce jour-là. Jim Gracie est mort. Je suis allé le voir hier. Il se balance au bout d'une branche. Il ne te servira plus à rien.

Dalton avança le buste, une lueur de triomphe dans les yeux.

– Pas possible ? Justement, Gracie était à Bathurst hier. Sale menteur ! Il ne reviendra qu'aujourd'hui.

– Non. Il est rentré hier soir. Il m'a tout raconté. Sur les autres filles aussi. La petite Gunn...

– Gracie est mort ?

– Oui.

– C'est toi qui l'as tué ?

Quinn réfléchit à sa réponse.

– Oui.

Cela parut le déconcerter, mais il reprit bien vite sa contenance.

– Qu'est-ce que tu veux d'elle ?

– Je vais m'en m'occuper.

Dalton ricana et vida son verre. Il se pencha en avant, les coudes sur le bureau.

– Non. Sois franc. Qu'est-ce que tu vas en faire, véritablement ?

– Toi, je devrais te descendre.

– Tu ne t'en tireras pas. On te pincera.

– Comme on t'a pincé, toi... ?

Dalton le considéra d'un regard trouble et martela doucement le plateau de ses phalanges.

– Mon petit doigt me disait que tu reviendrais, dit-il. Un mauvais pressentiment. Mary parlait beaucoup de toi, ces temps-ci. De toi et Sarah. Nathaniel s'en est aperçu, lui aussi. La pauvre divague, d'accord, mais... Je t'attendais. Pendant des années, j'ai pensé que tu reviendrais, mais plus le temps passait, plus ça semblait improbable. Je dois admettre que c'est une vraie surprise.

– Je m'en doute...

– Si tu es bien qui tu prétends être, évidemment. Quel était ton but, au fait ? Ta pauvre sœur est morte et enterrée. Et tout le monde sait que tu es coupable.

Quinn songea au petit billet dans l'étui à allumettes. Son fragile message. *Ne m'oublie pas. Reviens me sauver. Je t'en supplie.*

– Je suis revenu protéger Sadie, dit-il. Et faire justice pour ma sœur.

Son oncle désigna d'un geste vague les voix qui chantaient dans l'église, non loin de là, et se servit un autre verre.

– Ils adoreraient mettre la main sur toi. Tout ce prêchi-prêcha sur l'amour du prochain, et cetera... Mais ce qui leur ferait vraiment plaisir, c'est de t'écharper. Ça leur donnerait l'impression que Dieu s'intéresse à eux, quand tout prouve le contraire…

Il vida son verre d'un trait et fit la grimace.

– Tu n'as que ça, comme preuve : le fait de m'avoir vu ?

– Je t'ai vu la poignarder.

– Mais tu étais seul, oui ou non ? Oui ou non ? Tu étais seul. Il n'y avait personne avec toi.

– Je sais ce que mes yeux ont vu.

La voix de Quinn était grêle ; alors même que c'était lui qui détenait les revolvers, Dalton avait réussi à reprendre l'avantage.

– *Je sais ce que mes yeux ont vu*, répéta celui-ci d'un ton moqueur. T'es pitoyable, tu sais !

Il passa le revers de sa main sous son nez luisant.

– Voici ma proposition : tu poses ce revolver, tu t'en vas et je te laisse te barrer. Malgré Gracie. Taille-toi et ne reviens plus jamais. Passons l'éponge. T'es pas du genre à buter un représentant de la loi, hein ? Je veux dire…

Quelque part, une voix poussa un petit cri aigu. Dalton jeta un regard vers la porte, à sa gauche, qui menait à la cellule adjacente.

Quinn donna un coup de tête dans cette direction.

– Elle est là… ?

– Mais non ! Y a personne. C'est sûrement une souris. Le pays est envahi par cette vermine.

Dalton se frotta la joue, puis effleura l'égratignure récente à son cou.

– Va voir par toi-même. C'est ouvert. Vas-y… !

Quinn considéra Dalton. Toutes ces années durant, son oncle était resté logé au fond de son cerveau tel un lutin, et à présent il était juste en face de lui.

Robert profita de son trouble passager.

– Qui es-tu donc ? Tout le monde sait que le petit Quinn est mort. Tu lui ressembles même pas. Pauvre fou ! Tu sais, Mme Porteous t'a trouvé bizarre, l'autre jour. Très perturbé. Alors, qui es-tu ?

Quinn s'était approché de la porte de la cellule. Un calme étrange s'était emparé de lui. Il posa la main sur la lourde poignée d'acier et marqua une pause. Puis il fit face à son oncle et brandit le revolver.

– Je suis l'Ange de la Mort, dit-il, et il pressa la gâchette.

Un seul coup de feu, sec et sonore.

Dalton grogna et tomba à la renverse dans son fauteuil. Ses mains grassouillettes se joignirent sur sa poitrine. Du sang suintait entre ses doigts.

– Merde ! Tu m'as tiré dessus, salaud !

Il se releva en titubant, chercha à se rattraper au bord de son bureau.

– Qu'est-ce que tu fous ? Aide-moi !

Des papiers glissèrent par terre. La bouteille s'y fracassa et aussitôt l'âcre odeur d'alcool se répandit dans l'atmosphère. Dalton s'étala contre le plateau, puis tomba par terre où il râla pendant quelques secondes avant de se taire pour de bon.

Choqué, Quinn le contempla et toussa. Ses mains tremblaient. Le Glaive de la Justice… Après toutes ces années. De l'église anglicane, il entendit encore chanter des cantiques. *Beau pays de lumière et d'amour. Par la foi nous voyons ton rivage…* Il se baissa pour guetter son souffle, mais rien. Le sang formait une mare au sol. Il l'enjamba et tira sur la porte de la cellule. Un chat se faufila entre ses jambes et déguerpit au-dehors, le faisant sursauter.

– Sadie… ? murmura-t-il dans la pénombre. C'est moi…

29

Quinn était terrorisé à l'idée de ce qu'il pourrait découvrir – ou pas. Faute de réponse, il pénétra dans la cellule. Au début, juste l'obscurité et des odeurs de ferme – foin et fumier. Une fois de plus, il chuchota son prénom. Petit à petit, ses yeux s'habituèrent et, en effet, Sadie se profila dans les ténèbres, prostrée sur un matelas bosselé. La fillette était bâillonnée. À sa vue, ses yeux s'écarquillèrent. Il y avait de la paille dans ses cheveux et une ecchymose sur sa joue. De nouveau ce couinement insoutenable. Comme ses mains étaient attachées dans son dos, il revint rapidement sur ses pas et roula le cadavre pour prendre le trousseau de clés à son ceinturon.

Il desserra le bâillon, défit les menottes de ses mains tremblantes, rouges de sang. Elle était échevelée et très agitée. Aussitôt, elle arracha le bâillon puis se recroquevilla contre le mur. Elle cracha et, d'un revers de la main, essuya ses lèvres tuméfiées.

– Ça va ?

Elle lui jeta un coup d'œil rapide et amer.

– Tu l'as tué ? J'ai entendu un coup de feu...

Il opina et brandit le revolver, comme pour le prouver.

– Il est mort ?

– Oui.

– Tu es sûr ?

– Oui.

– Il ne reviendra pas ?

– Non. Il est mort.

Elle se rapprocha du bord du matelas, les mains sur ses genoux, et considéra le sol, comme plongée dans ses pensées. Puis elle releva la tête et s'apprêta à se lever.

– Et M. Gracie ? Il faut partir tout de suite, ou il se lancera à nos trousses...

– Non. Lui aussi, il est mort.

De nouveau, elle se tassa sur elle-même.

– Tu l'as tué, lui aussi.

Quinn eut un geste fataliste. Il se pencha et mit la main sur son épaule, dans l'idée de la réconforter, mais elle se dégagea en maugréant. Elle récupéra son gilet crasseux qui était par terre avant de replier les jambes sous ses fesses, d'un air guindé, comme si elle attendait une inspection. Elle semblait avoir oublié sa présence, comme ces soldats atteints de psychose traumatique qu'il avait pu voir à l'hôpital.

Il s'installa à son côté. En silence, ils regardèrent un fragment de lumière ramper sur les pierres froides avec le passage du soleil matinal, éclairant les graffitis au mur. C'était étonnant que personne n'ait été alerté par le coup de feu, mais on n'avait peut-être rien entendu. Il leva les yeux vers la petite fenêtre, placée très haut, inaccessible même à un homme particulièrement grand. Le ciel était bleu, immuable. Il savait qu'on pouvait se sentir aussi mal sans toutefois en mourir, car cela lui était déjà arrivé. Des larmes roulèrent, une à une, sur sa joue. Il se demanda si le cœur pouvait lâcher sans autre cause que le chagrin, tout comme son larynx l'avait fait, autrefois.

– Je n'arrêtais pas d'entendre des anges, déclara Sadie au bout d'un long silence, et elle tapota son oreille, comme pour en déloger ces créatures fantastiques. Toute la matinée, je les ai entendus chanter et j'ai cru qu'ils venaient me chercher.

Elle s'essuya les yeux.

– J'ai cru mourir. J'ai cru que j'allais en mourir.

– Pardonne-moi. Pardonne-moi d'être arrivé trop tard. Je ne savais pas où il t'avait emmenée. Pardonne-moi…

Elle soupira et se tourna vers lui, le regard brouillé par les larmes.

– C'est pas ta faute.

Elle épousseta son genou terreux.

– Au moins, il ne m'a pas tuée, dit-elle sans conviction. Au moins je ne suis pas morte.

Quinn contempla son revolver sur ses genoux. C'était au moins ça. Il imagina sa médaille militaire, roulant au fond de l'océan, s'accrochant çà et là au corail, ramassant des algues au bout de ses pointes en argent.

De nouveau, elle soupira.

– Et maintenant… ?

La flaque de lumière, après s'être promenée sur le sol, brillait sur les pavés. Sadie remua ses orteils dans cette chaleur.

– Quinn ? J'ai réfléchi… Je ne crois pas que mon frère va rentrer. Ce serait déjà fait.

Quinn toussota.

– On raconte des choses, tu sais… Des soldats revenus voir des gens. J'en ai souvent entendu parler en France. À l'hôpital, j'ai rencontré un type qui avait vu des cadavres se relever autour de lui, dans la tranchée, et repartir à l'attaque. Par dizaines. Le bataillon n'avait pas l'avantage numérique mais ils étaient parvenus à repousser l'ennemi. Et cet homme avait vu ça de ses propres yeux. À la guerre, il se passe des choses incroyables, tu sais. Ce n'est pas comme d'habitude, tout est différent.

Sadie, qui avait penché la tête sur son épaule pour écouter sa petite histoire, ne réagit pas. Une araignée traversa l'espace à toute vitesse et disparut dans les ténèbres. Elle se racla la gorge.

– Mais la guerre est finie, n'est-ce pas ? Finie depuis longtemps…

Quinn tripota son revolver.

– Oui, oui…

– Depuis combien de temps ?

Il calcula.

– Novembre de l'année dernière. Ça fait quelques mois.

Elle réfléchit.

– Et c'est nous qui l'avons gagnée, hein ?

– Oui.

De nouveau, elle lui fit face, et il remarqua que son sourire était tordu, comme si l'une des charnières de sa bouche avait été brisée.

– Et tu es comme un frère pour moi, pas vrai ?

Les braises dans le cœur de Quinn se mirent à rougeoyer. Il étouffa un sanglot, acquiesça.

– Et si on allait à Kensington Gardens ? En Angleterre. On en a déjà parlé, tu te souviens ?

Il haussa les épaules. L'idée n'était pas si mauvaise. Au moins il y aurait de la verdure. De l'eau, de la brume. Sans doute pourrait-il trouver facilement du travail, là-bas ; après tout, les hommes valides étaient rares. Lui et Sadie trouveraient un abri. Il pourrait peut-être bâtir une maison ? De l'extérieur, on entendait un bruit de sabots sur les pavés. Les faibles échos aquatiques d'un chœur – les anges.

– C'est décidé ! ajouta Sadie, enthousiaste. Là-bas, c'est plein d'arbres. Il y a des fées vêtues de fleurs. Elles sont partout, même si on ne peut les voir. Elles vivent sous les racines des arbres. On pourrait habiter cette île au milieu du lac. Il y a des oiseaux qui se transforment en garçon ou en fille. Des cygnes, un corbeau appelé Salomon. La nuit, ils font des fêtes ; toutes les fées viennent y danser et leur reine exauce les vœux. Ce sera merveilleux.

Ce programme semblait extravagant, mais il n'avait pas envie de doucher son enthousiasme après ce qui s'était passé. D'ailleurs, lui-même était assez emballé par cette idée.

– Et puis, pourquoi pas… ?

– Comment fait-on pour aller là-bas ?
– Il faut prendre le bateau.
– Et traverser la mer ?
– Naturellement.
– Ça dure combien de temps ?
– Il faut d'abord se rendre à Sydney. Ça peut demander plusieurs semaines.
– C'est long... mais ça en vaut la peine ! J'ai presque quatre livres que j'ai pris à des gens. M. Harman garde son argent dans une chaussette. Je sais que c'est mal, mais...
– Aucune importance, dit Quinn, qui effleura le barillet de son revolver. Dieu ne nous surveille pas. Je crois que nous sommes livrés à nous-mêmes. Rien n'a d'importance...

Elle marmonna une approbation, et tapota sa robe.
– Oui. Il en a fini avec nous il y a longtemps. Il nous a abandonnés.

Quinn était épuisé. Sous ses pieds il croyait entendre les grincements de la planète, tournoyant sur elle-même dans l'espace, machine solitaire décrivant son éternelle orbite. Il resta encore un peu sur ce matelas malpropre. Puis il se leva et ils enjambèrent le cadavre avant de quitter le poste de police dans la lumière tremblante. Détachant le cheval gris, il partit sur la route, passant devant le verger des Smith. Bizarrement, il ne se sentait pas pressé et la fillette était contente de marcher tranquillement à son côté. C'était un dimanche ordinaire de fin d'été. La plupart des gens étaient à l'église ou vaquaient à leurs occupations. Une brise remuait les branches des arbres. Dans les parages, personne. En fait, sans les échos des cantiques qui flottaient une fois de plus au-dessus d'eux, tandis qu'ils s'enfonçaient dans la forêt, on aurait pu croire la ville désertée.

Épilogue

Mary Walker ne vécut pas assez longtemps pour savoir ce qu'il était advenu de Robert, son frère bien-aimé. Les derniers jours, l'atmosphère de ses rêves était devenue sombre et turbulente. Par un après-midi de mars 1919, alors que Robert venait d'être retrouvé mort d'une balle dans la poitrine, Nathaniel se pencha par la fenêtre, comme à son habitude, mais garda le silence. Il avait compris tout de suite qu'elle venait de mourir et ne voulait pas voir ceci confirmé trop tôt en posant une question destinée à rester sans réponse.

Sur la fin, Mary avait été tourmentée, mais aussi – il faut le dire – apaisée par des visions de ses enfants perdus, Quinn et Sarah, dont elle affirmait qu'ils se pressaient à son chevet pour rafraîchir son front brûlant et lui offrir de la lavande. Tout était pardonné, selon elle. Tout était bien. Une fois le certificat de décès signé, son corps avait été aussitôt incinéré, conformément aux lois en vigueur au cours de ces terribles mois.

Pendant des jours, son mari arpenta la cour poussiéreuse, le regard vague, fumant la pipe, marmonnant prières et malédictions. Assiettes de nourriture et bouquets de fleurs s'entassaient tout autour de lui, transformant la véranda croulante en lugubre scène de banquet.

Quelques mois plus tard, il vendit le domaine et alla s'installer dans le Queensland, chez William et Jane, son épouse. Il se replia sur lui-même, se désintéressa complètement du monde et de ses progrès. Ses cheveux grisonnèrent. En 1924, il fit une chute de cheval, perdit connaissance et mourut deux semaines plus tard sans être sorti du coma.

Sur la jeune Sadie Fox, on n'entendit jamais rien de précis. Des rumeurs prétendaient qu'on l'avait vue à Newcastle ; qu'elle voyageait avec son frère, qui était revenu de la guerre bien changé ; qu'elle portait un collier de coquilles d'escargots, qu'elle avait donné naissance à un lapin, qu'elle s'était embarquée clandestinement sur un navire en partance pour l'Irlande ; qu'elle était morte de la grippe espagnole.

La mort brutale de Robert Dalton choqua la petite ville. Rien n'avait été volé, hormis son revolver de service et son cheval, et il n'y avait aucun indice sur l'identité de son assassin, sinon des traces de pas sanglants qui allaient par paires, quittaient le poste de police, longeaient Gully Road, et s'estompaient. Cet après-midi-là, le jeune George Carver fut envoyé chez Jim Gracie, mais le pauvre garçon tomba sur une scène qui devait le hanter longtemps. Affamés – et saisissant leur chance de se venger de cet homme qui les avait maltraités pendant tant d'années –, les chiens bondissaient en l'air pour refermer leurs mâchoires autour de ses pieds nus. Il était revenu en courant pour raconter cela, mais au moment où un autre homme était arrivé sur place, les chiens s'étaient volatilisés et les pieds ressemblaient à des côtelettes rongées. On supposa que les deux assassins avaient été engagés par ce Fletcher Wakefield, le vagabond auquel Mme Porteous avait parlé dans le cimetière, mais une recherche aux archives prouva bientôt que ce Wakefield avait péri dans les derniers jours de la guerre. C'était un autre mystère, encore épaissi par le récit d'Edward Fitch, qui se vantait d'avoir rencontré le fantôme de Quinn Walker dans les collines, ce qui fit retomber les soupçons sur cet homme surnommé depuis longtemps « L'Assassin ». Évidemment, disait-on. Évidemment.

À cette époque, l'épidémie tenait le pays entre ses griffes. Les hôpitaux débordaient de malheureux. Les écoles étaient fermées. Il en mourait beaucoup tous les jours. À Flint, Mary Walker ne fut qu'un des dix habitants à décéder directement de la grippe espagnole. À la fin de l'année 1919, au moment où l'épidémie touchait à son terme, des milliers avaient péri dans son sillage.

Tous les Walker étant morts ou ayant déménagé, les légendes les concernant se mirent à pousser à la façon de bougainvillées non taillées dans des directions surprenantes et bizarres. Tel le récit d'Edward Fitch, où Quinn – un Quinn devenu bossu, défiguré, bizarre comme un prophète ou un anachorète, et trimballant à présent un sac d'os – proférait des slogans sibyllins censés expliquer son passé et prédire l'avenir. On savait bien que l'idiot n'était pas digne de foi, mais les soupçons enveloppant cette rencontre dans les collines ne firent qu'accréditer cette légende aux yeux de certains. Dans les années qui suivirent, un mineur ou un chasseur de lapins voyaient parfois un homme solitaire tituber parmi les mines désaffectées, ce qui relança les débats au Mail Hotel pour savoir ce qui avait bien pu se passer réellement – d'abord en 1909, puis en 1919. La présence ténébreuse, hypothétique, de Quinn servait à mettre en garde les enfants qui avaient tendance à traîner, le soir, et une comptine naquit dans la cour de récréation, dont la popularité connut des hauts et des bas auprès des fillettes jouant à la corde à sauter :

Quinn Walker avait une sœurette, une sœurette, une sœurette
Un soir il l'embrassa, l'embrassa, l'embrassa
Elle voulut prendre la poudre d'escampette
Mais il lui dit : Reste là ! là ! là !

REMERCIEMENTS

Ce livre s'est alimenté à diverses sources. Tant pour l'inspiration que la documentation, j'ai une dette envers : *Phantasmagoria* de Marina Warner ; *The Great War* de Les Carlyon ; *Sites of Memory, Site of Mourning*, de Jay Winter ; et *Faces of the Living Dead* de Martyn Jolly. En outre, je voudrais remercier Lyn Tranter, Kirsten Tranter, Ian See et Roslyn Oades pour leurs encouragements et conseils précieux. Et surtout, mon éditrice, Aviva Tuffield, qui a travaillé sans jamais se lasser (en apparence, du moins) et sans qui ce roman serait deux fois plus long et deux fois moins bon.

« LES GRANDES TRADUCTIONS »

(extrait du catalogue)

ALESSANDRO BARICCO
Châteaux de la colère, prix Médicis Étranger 1995
Soie
Océan mer
City
Homère, Iliade
traduits de l'italien par Françoise Brun

ERICO VERISSIMO
Le Temps et le Vent
Le Portrait de Rodrigo Cambará
traduits du portugais (Brésil) par André Rougon

JOÃO GUIMARÃES ROSA
Diadorim
traduit du portugais (Brésil) par Maryvonne Lapouge-Pettorelli
Sagarana
Mon oncle le jaguar
traduits du portugais (Brésil) par Jacques Thiériot

MOACYR SCLIAR
Sa Majesté des Indiens
La femme qui écrivit la Bible
traduits du portugais (Brésil) par Séverine Rosset

ANDREW MILLER
L'Homme sans douleur
Casanova amoureux
Oxygène
traduits de l'anglais par Hugues Leroy

MORDECAI RICHLER
Le Monde de Barney
traduit de l'anglais (Canada) par Bernard Cohen

STEVEN MILLHAUSER
La Vie trop brève d'Edwin Mulhouse, écrivain américain, 1943-1954,
racontée par Jeffrey Cartwright,
prix Médicis Étranger 1975, prix Halpérine-Kaminsky 1976
traduit de l'anglais (États-Unis) par Didier Coste
Martin Dressler. Le roman d'un rêveur américain, prix Pulitzer 1997
Nuit enchantée
traduits de l'anglais (États-Unis) par Françoise Cartano
Le Roi dans l'arbre
Le Lanceur de couteaux
traduits de l'anglais (États-Unis) par Marc Chénetier

MIA COUTO
Terre somnambule
Les Baleines de Quissico
La Véranda au frangipanier
Chronique des jours de cendre
Un fleuve appelé temps, une maison appelée terre
traduits du portugais (Mozambique) par Maryvonne Lapouge-Pettorelli

GOFFREDO PARISE
L'Odeur du sang
traduit de l'italien par Philippe Di Meo

MOSES ISEGAWA
Chroniques abyssiniennes
La Fosse aux serpents
traduits du néerlandais par Anita Concas

JUDITH HERMANN
Maison d'été, plus tard
Rien que des fantômes
Alice
traduits de l'allemand par Dominique Autrand

PEDRO JUAN GUTIÉRREZ
Trilogie sale de La Havane
Animal tropical
Le Roi de La Havane
Le Nid du serpent
traduits de l'espagnol (Cuba) par Bernard Cohen

TOM FRANKLIN
Braconniers
La Culasse de l'enfer
traduits de l'anglais (États-Unis) par François Lasquin et Lise Dufaux
Smonk
traduit de l'anglais (États-Unis) par Michel Lederer

SÁNDOR MÁRAI
Les Braises
traduit du hongrois par Marcelle et Georges Régnier
L'Héritage d'Esther
Divorce à Buda
Un chien de caractère
Mémoires de Hongrie
Métamorphoses d'un mariage
Le Miracle de San Gennaro
traduits du hongrois par Georges Kassai et Zéno Bianu
Libération
Le Premier Amour
L'Étrangère
La Sœur
traduits du hongrois par Catherine Fay

V.S. NAIPAUL
Guérilleros
Dans un État libre
traduits de l'anglais par Annie Saumont
À la courbe du fleuve
traduit de l'anglais par Gérard Clarence

GEORG HERMANN
Henriette Jacoby
traduit de l'allemand par Serge Niémetz

JOHN VON DUFFEL
De l'eau
Les Houwelandt
traduits de l'allemand par Nicole Casanova

EDWARD P. JONES
Le Monde connu
Perdus dans la ville
traduits de l'anglais (États-Unis) par Nadine Gassie

AHLAM MOSTEGHANEMI
Mémoires de la chair
traduit de l'arabe par Mohamed Mokeddem
Le Chaos des sens
traduit de l'arabe par France Meyer

NICK TOSCHES
La Main de Dante
Le Roi des Juifs
traduits de l'anglais (États-Unis) par François Lasquin

YASUNARI KAWABATA
Récits de la paume de la main
traduit du japonais par Anne Bayard-Sakai et Cécile Sakai
La Beauté, tôt vouée à se défaire
traduit du japonais par Liana Rossi
Les Pissenlits
traduit du japonais par Hélène Morita

YASUNARI KAWABATA / YUKIO MISHIMA
Correspondance
traduit du japonais par Dominique Palmé

JOHN MCGAHERN
Les Créatures de la terre et autres nouvelles
Pour qu'ils soient face au soleil levant
traduits de l'anglais (Irlande) par Françoise Cartano
Mémoire
traduit de l'anglais (Irlande) par Marie-Lise Marlière

VANGHÉLIS HADZIYANNIDIS
Le Miel des anges
traduit du grec par Michel Volkovitch

ROHINTON MISTRY
Une simple affaire de famille
traduit de l'anglais (Canada) par Françoise Adelstain

VALERIE MARTIN
Maîtresse
Indésirable
Période bleue
traduits de l'anglais (États-Unis) par Françoise du Sorbier

ANDREÏ BITOV
Les Amours de Monakhov
traduit du russe par Antonina Roubichou-Stretz

VICTOR EROFEEV
Ce bon Staline
traduit du russe par Antonina Roubichou-Stretz

REGINA MCBRIDE
La Nature de l'air et de l'eau
La Terre des femmes
traduits de l'anglais par Marie-Lise Marlière

ROSETTA LOY
Noir est l'arbre des souvenirs, bleu l'air
traduit de l'italien par Françoise Brun

HEKE GEISSLER
Rosa
traduit de l'allemand par Nicole Taubes

JENS REHN
Rien en vue
traduit de l'allemand par Bernard Kreiss

GIUSEPPE CULICCHIA
Le Pays des merveilles
traduit de l'italien par Vincent Raynaud

ANTONIO SOLER
Les Héros de la frontière
Les Danseuses mortes
Le Spirite mélancolique
Le Chemin des Anglais
Le Sommeil du caïman
traduits de l'espagnol par Françoise Rosset

ADRIENNE MILLER
Fergus
traduit de l'anglais (États-Unis)
par Marie-Lise Marlière et Guillaume Marlière

F.X. TOOLE
Coup pour coup
traduit de l'anglais (États-Unis) par Bernard Cohen

VIKRAM SETH
Deux vies
traduit de l'anglais (Inde) par Dominique Vitalyos

JOHN FOWLES
La Créature, prix du Meilleur Livre étranger 1987
Le Mage
traduits de l'anglais par Annie Saumont

DAVID MALOUF
Ce vaste monde, prix Femina étranger 1991
L'Étoffe des rêves
traduits de l'anglais (Australie) par Robert Pépin
Chaque geste que tu fais
traduit de l'anglais (Australie) par Nadine Gassie

ELIAS CANETTI
Histoire d'une jeunesse, la langue sauvée 1905-1921
Les Années anglaises
traduits de l'allemand par Bernard Kreiss
Le Flambeau dans l'oreille, histoire d'une vie 1921-1931
traduit de l'allemand par Michel-François Démet
Jeux de regard, histoire d'une vie 1931-1937
traduit de l'allemand par Walter Weideli

VEZA ET ELIAS CANETTI
Lettres à Georges
traduit de l'allemand par Claire de Oliveira

CHRIS ABANI
Graceland
traduit de l'anglais (Nigeria) par Michèle Albaret-Maatsch
Le Corps rebelle d'Abigaïl Tansi
Comptine pour l'enfant-soldat
traduit de l'anglais (Nigeria) par Anne Wicke

CHRISTOPH RANSMAYR
La Montagne volante
traduit de l'allemand par Bernard Kreiss

ROBIN JENKINS
La Colère et la Grâce
traduit de l'anglais par Françoise du Sorbier

DANIEL ALARCÓN
Lost City Radio
La Guerre aux chandelles
traduits de l'anglais (États-Unis) par Pierre Guglielmina

DUBRAVKA UGRESIC
Le Ministère de la douleur
traduit du serbo-croate par Janine Matillon

NAM LE
Le Bateau
traduit de l'anglais (Australie) par France Camus-Pichon

PINO ROVEREDO
Caracreatura
traduit de l'italien par Dominique Vittoz

AQUILINO RIBEIRO
Quand hurlent les loups
traduit du portugais par Jacques Cendrier et Manuel Cardoso-Canelas

MISCHA BERLINSKI
Le Crime de Martiya Van der Leun
traduit de l'américain par Renaud Morin

SOPHIE TOLSTOÏ
À qui la faute, réponse à Léon Tolstoï
traduit du russe par Christine Zeytounian-Beloüs

STEVEN AMSTERDAM
Ces choses que nous n'avons pas vues venir
traduit de l'anglais par Valérie Malfoy

PAOLO SORRENTINO
Ils ont tous raison
traduit de l'italien par Françoise Brun

DANIEL DEFOE
Robinson Crusoé
traduit de l'anglais par Françoise du Sorbier

Composition IGS-CP
Impression : Imprimerie Floch, juin 2012
Éditions Albin Michel
22, rue Huyghens, 75014 Paris
www.albin-michel.fr